KB007229

'한국근대문학과 중국' 자료총서 ❻

시 Ⅱ

장영미·김 강 엮음

역락

『'한국근대문학과 중국' 자료총서』 편찬위원회

편찬자 소개

김병민 연변대학교 조선언어문학학과 교수. 문학박사.

이광일 연변대학교 조선언어문학학과 교수. 문학박사.

최창륵 남경대학교 한국어문학과 교수. 문학박사.

최　일 연변대학교 조선언어문학학과 교수. 문학박사.

장영미 연변대학교 조선어학과 교수. 문학박사.

박설매 연변대학교 조선언어문학학과 부교수. 문학박사.

김　강 연변대학교 조선언어문학학과 전임강사. 문학박사.

배　홍 연변대학교 조선언어문학학과 전임강사. 문학박사.

김은자 하얼빈이공대학교 조선어학과 전임강사. 문학박사.

조영추 연세대학교 국어국문학과 박사.

박미혜 성균관대학교 국어국문학과 박사과정 수료.

'한국근대문학과 중국' 자료총서 06

시 II

장영미·김 강 엮음

역락

한국근대문학과 중국체험서사

— 서문을 대신하여 —

김병민

1. 중국체험의 의미

한·중 문화 교류는 수천 년의 유구한 역사를 가지고 있다. 특히 한국은 한자, 유·불·도, 각종 문물제도를 중국으로부터 수용함으로써 한(漢)문화권에 편입된 뒤 한(漢)문화를 중심으로 한 동아시아문화권의 형성과 발전에 중요한 역할을 하게 되었다. 따라서 한국문학의 발전 역시 중국문학 및 문화와 불가분의 관계에 놓이게 되었다.

한국문학의 발전에 있어서 역대 한국인들의 중국체험은 한국 한(漢)문학 전통의 확립에 결정적인 역할을 했다. 한국문인들의 중국체험은 다양한 양상을 보이고 있는바 최치원 등을 비롯한 문인들의 유학(留學)체험, 혜초, 의상 등을 비롯한 불교 문인들의 구도(求道)체험, 정도전, 허균, 김만중, 홍대용, 박지원 등을 비롯한 문인들의 사행(使行)체험 등을 들 수가 있다. 이들은 중국을 체험하는 과정에 중국의 문인들과 다양한 교류를 진행하게 되었고 한중 문학의 쌍방향적 영향관계를 밀접히 했다. 실제로 한국문학에서 굴지의 작가로 불리는 최치원, 이제현, 허균, 김만중, 박지원 등의 문학은 중국 문학 및 문화와 깊은 연관성을 보여주고 있다. 한국문인들은 중국체험을 통해 자신들의 창작을 전개해갔고 또한 창작을 통해 그들의 문화의식 즉 세계인식과 시대인식을 구축해 가기도 했다. 최치원의 한시가 『전당시』에, 이제현의 사가 『강촌총서』에 수록되었으며 김만중의 경우 중국체험과 중국문화 수용을 통해 세계적 영향을 지닌 『구운몽』을, 박지원의 경우는 사행체험을 통해 세계 기행문학의 백미로 불리는 『열하일기』를 창작했다. 최치원, 이제현, 김만중, 박지원의 문학이 세계적인 명작이 되기에 손색이 없다고 할 때, 한국문학 발전에 있어서 중국체험은 큰 의미를 가진다고 할 수 있다.

중국체험은 한국 문인들에게 시간과 공간에 대한 새로운 인식을 심어주었고 자아와 타자에 대한 새로운 인식을 불러일으키기도 했다. 예를 들어 18세기 후반기 '북학파'의 맹주들인 박지원, 박제가 등이 중국체험을 통해 전통적인 문화의식에서 탈피하여 자본시장의 형성과 과학문명에 대한 인식을 얻고 중세의 몰락과 근대의 여명을 확인한 것은 시대를 앞서나간 문화적 초월이라고 할 수 있다. 그것은 말 그대로 국가 간의 경계, 문화 간의 경계, 민족 간의 경계를 넘어설 수 있었던 탈경계 체험의 산물이라고 하겠다.

20세기를 전후하여 한국은 근대 식민지체계에 편입되기 시작하여 1910년 '한일합방'으로 일제의 식민지로 전락되고 말았다. 망국을 전후한 시기부터 중국은 한국독립투사들의 항일투쟁의 정치적 공간과 근대적 이민의 생활공간이 되기도 했다. 따라서 한국근대문학은 중국의 문학 및 문화와 더욱 밀접한 연관을 맺게 되었고 보다 더 새롭고 다양한 발전 양상을 보여주게 된다.

따라서 한국근대문학과 중국과의 관련양상에 대한 연구는 비단 한·중 근대문학교류사 연구뿐만 아니라 한국문학사 연구에 있어서도 지극히 중요한 가치가 있다고 할 수 있다. 현재까지 이에 대한 한국 학계의 연구는 대체적으로 한국근대문학의 공간적 이동이라는 시각에서 접근하여 중국에서 벌어

졌던 한국문인들의 문학을 '이민문학' 혹은 재외 한국근대문학의 범주에 두고 고찰하였다. 반대로 중국 학계에서는 중국에 이주한 한국문인들의 문학을 '조선족문학' 혹은 그 전사(前史)로 범주화하고 연구를 해왔다. 이러한 연구는 한민족문학의 연구에서 극히 중요한 작업임이 분명하며 또한 현재까지 괄목할 만한 성과를 거두었다. 하지만 한국문학의 공간적 이동으로만 접근하게 되면 인적 교류, 이론과 사상의 유동 내지는 상상력의 탈경계 등 한·중 근대문학 교류의 보다 다양한 차원의 문제들을 간과하게 된다. 한 마디로 한·중 근대문학 교류는 문학의 공간적 이동의 시각보다는 탈경계 연구(Border—crossing studies)의 시각에서 접근하는 것이 더 효율적이라고 할 수 있다. 이른바 탈경계 연구는 민족, 국가, 언어, 문화, 이데올로기 및 윤리 등의 탈경계 그리고 그 과정에서 문화적 재건, 융합 및 가치창조를 밝히는 새로운 연구 시각이다.

근대 전환기 및 근대과정에서 이루어진 한국문학의 중국과의 교류는 고금의 인류문학사에서 보기 드문 문학적 현상이었으며 일종의 '증후성(Symptomatic)'을 가진 문학적 사건이라고 할 수 있는바 다음과 같은 특징을 띄고 있다. 우선, 교류의 지속시간이 길고 방대한 양의 텍스트를 형성하였다. 다음으로 그 교류는 일방적인 영향관계가 아닌 쌍방향적인 상호작용의 관계였다. 끝으로 그 교류는 '중심'과 '주변'의 관계가 아닌 '주변'과 '주변'의 관계였다. 그중 탈경계 서사(beyond boundaries narrative)로 특징지어지는 한국근대문학의 중국체험서사는 한국문인들의 중국을 매개로 한 전통, 근대 그리고 미래와의 대화였다. 바로 이러한 의미에서 한국근대문학과 중국과의 문학·문화적 대화는 지극히 생산적인 것이었으며 근대 동아시아의 정신적 가치를 보여주는 소중한 유산이라고 할 것이다.

한국문학의 근대화 과정에서 일본을 통한 서양문학사조, 유파, 관념, 형식 등의 수용이 큰 역할을 하였음은 분명하나 식민지 출신의 한국문인들에게 있어 식민 종주국 일본이 생산적 가치를 가진 이상적인 공간이 될 수는 없었다. 오히려 비슷한 운명에 처한 중국이 생산적인 정치·문화공간이자 생존·생활공간이 될 수 있었다. 중국에 대하여 느낄 수 있었던 시대적 동질감과 유대감은 일본이 갖추지 못한 요소들이었다. 따라서 한국인들은 중국을 독립투쟁의 전장, 근대문명의 '박물관', 평등한 대화와 교류의 장소로 인식하였던 것이다. 한국근대문학과 중국과의 교류는 한국문학의 근대화 과정을 이해하는 데 있어 중요한 가치가 있을 뿐만 아니라 나아가 오늘날 한국과 주변의 관계를 이해하는 데 있어서 상당한 현실적 가치가 있다고 해야 할 것이다. 이에 『'한국근대문학과 중국' 자료총서』는 한국문인들이 중국과의 교류 과정에서 생산한 중국서사와 한국문인들에 의한 중국문학 번역과 소개 등 텍스트를 그 대표성과 중요도에 따라 선별적으로 수록하였다.

2. 저항과 항일체험서사

항일서사는 한국의 독립투사들이 중국에서의 반일활동에 근거한 탈경계 서사로서 의열단(義烈團), 한국애국단(韓國愛國團), 독립군(獨立軍), 유격대(遊擊隊), 조선의용대/의용군(朝鮮義勇隊/義勇軍), 한국청년전지공작대(韓國青年戰地工作隊), 한국광복군(韓國光复軍), 중국국민군(中國國民軍), 팔로군(八路軍), 항일연군(抗日聯軍) 등 항일부대의 활동과 밀접히 연관되어 있으며 소설, 시, 수필 등 장르를 포함하고 있다.

소설로는 중국에서 전개된 한국의 반일독립운동을 소재로 한 신채호, 최서해, 강경애, 심훈, 장지락 등의 작품이 있다. 우선 아나키즘계열의 항일투쟁을 반영한 소설로는 신채호의 「용과 용의 대격전」, 장지락의 「기묘한 무기」 등이 대표적이다. 신채호의 소설 「용과 용의 대격전」은 환상적인 구조 속에서 일제 침략자를 상징하는 미리와 한국 민중을 상징하는 드래곤 사이의 격전을 그리면서 민중의 승리를 확인하고 있다. 「꿈하늘」(1916)에서 신채호가 국민국가 상상을 보여주었다면 「용과 용의 대격전」에서는 무산민중 주체의 민족국가 상상을 보여주었다고 할 수 있다. 장지락의 소설 「기묘한 무기」는 1922년 김익상 등 한국의 반일지사들이 상하이 황포공원에서 일제 육군대장 다나카를 저격한 사건을 다룬 단편소설로 1930년 북경에서 창작된 작품이다. 이 소설에는 사회주의, 아나키즘, 인도주의 등 다양한 사상들이 혼재되어 있다. '만주'지역에서 전개되고 있던 독립투쟁을 소재로 한 소설로 최서해의 「해돋이」와 강경애의 「모자」, 「축구전」 등이 있다. 「해돋이」는 생활에 시달리다 독립운동에 투신한 주인공 만수의 형상을 통하여 '만주' 지역 한국 이주민들의 일제와 그 주구들에 대한 분노와 항거를 보여주고 있다. 강경애의 「모자」는 간도지역에서 벌어진 항일유격투쟁을 배경으로 하면서 희생된 남편의 못 이룬 뜻을 어린 아들로 하여금 이어가게 하겠다는 한 어머니의 불굴의 의지를 보여주고 있고 「축구전」은 일제의 주구들이 조직한 축구경기에 참가하여 경기는 졌지만 민중들에게 반일정신이 살아있음을 보여준 진보적인 한국 이주민 중학생들을 그리고 있다.

반일투쟁 승리의 강력한 의지를 표출한 시작품으로는 신채호의 「매암의 노래」, 이육사의 「청포도」, 김창숙의 「넋이여 돌아오라」, 이두산의 「당신은 의용의 전사래요」, 문정진의 「4명의 열사를 추모하여」 등을 들 수 있다. 이두산의 시 「당신은 의용의 전사래요」는 중국에서 활약하고 있는 항일부대 '조선의용대'의 영용한 모습과 필승의 신념을 노래하면서 항전의 승리와 조국 귀환의 절절한 정감을 읊고 있다. 김창숙의 시 「넋이여 돌아오라」는 중국

하르빈에서 독립운동을 지도하다 일경에 체포되어 옥사한 독립투사 김동삼을 기린 시로 일제에 대한 불타는 적개심과 구국의 염원을 노래했다. "신계(神溪)는 목 메이고/ 한수(漢水)는 슬픈데/ 한 치의 묻을 땅이 없어/ 다비(茶毘)에 부치더니/ 아, 나라 찾을 그날/ 다가오리니/ 넋이여 돌아오라/ 주저치 말고"라고 하면서 전편에 걸쳐 혁명동지에 대한 뜨거운 애도 그리고 원수격멸의 의지를 그려내고 있다.

이밖에 항일투쟁의 제일선에서 싸운 군인들의 실기, 수필 등은 실제적인 체험을 기록했다는 의미에서 상당한 가치를 가진다. 예를 들면 '조선의용대' 대원들이 창작한 「전선에서의 조선의용대」, 「중국 전장에서의 조선의용대」, 「화평촌통신」 등은 항일전장에서 조선인 대원들의 대적 무장선전, 중국 항일부대와의 협동작전, 민중교육 등 상황을 그려내고 있는바 한국 근대 독립투쟁의 역사와 한중관계를 조명함에 있어서도 중요한 가치를 가진다고 할 수 있다. 중국에서 전개된 한국인들의 독립투쟁을 반영한 작품 『청산리 혈전실기』, 「조선혁명일사」 등과 신채호의 수필 「단아잡감록」, 「조선의 지사」, 이두산의 연작수필 「억(憶)」(「산중 40일」, 「중국 항전에 참가하다」 등 11편) 등 작품들은 중국에서 한국 독립지사들의 투쟁과 생활 그리고 그들의 정신적 궤적을 반영하고 있다는 의미에서 높은 문학적 가치를 가진다고 할 수 있다.

3. 정착과 이민서사

한국근대문학의 탈경계 서사에서 가장 많은 비중을 점하는 작품은 한국 이주민들이 중국에서의 생존체험을 소재로 한 이민서사로 그 주제적 경향에 있어서도 다양성을 보이고 있다.

우선, 한국 이주민과 중국인들과의 갈등은 이민서사에서 가장 많이 보이는 소재이다. 토지의 주인인 중국인들은 '지주'의 신분으로 등장하여 민족·계급이라는 이중적인 갈등구조를 이룬다. 최서해의 소설 「홍염」, 강경애의 소설 『소금』 등이 대표적이다. 「홍염」의 중국인 지주 '은 서방', 『소금』의 중국인 '팡둥'은 토지의 주인이라는 절대적 우위를 이용하여 한국 이주민들을 억압하고 있고 극한적인 생존환경에 처한 한국인 이주민들의 자연발생적인 항거가 계급적 인식으로 나아가게 된다. 이런 의미에서 중국으로의 이주는 한국작가들로 하여금 계급적 대립에 의한 억압의 보편성을 확인할 수 있게 하였고 나아가 현실 인식에 대한 깊이와 정확도를 획득할 수 있게 하였다.

다음으로, 중국에서 새로운 삶의 터전을 건설하려는 정착의식을 그린 작품들이 많이 있다. 안수길의 「벼」, 「북향보」 등과 현경준의 「선구시대」, 이기영의 『대지의 아들』, 『처녀지』 등 소설이 대표적이다. 안수길의 「북향보(北鄕譜)」는 주인공 정학도를 비롯한 이주민들이 어려운 여건 속에서 '북향농장'을 운영하는 과정을 통해 '만주'에 뿌리를 내려야 한다는 정착의식 혹은 지역의식(locality)을 상징적으로 보여주고 있다.

하지만 '만주'의 실질적인 지배자가 일제였기 때문에 '만주'를 향한 정착의식은 '상상적인 탈식민'으로 흐르게 되고 자칫하면 '만주'에서의 일제의 식민주의 담론에 포섭되게 된다. 마약중독자들을 '만주국' 건설에 필요한 인재로 '갱생'시키는 과정을 그린 현경준의 「유맹」, '내부 식민주의'적인 시각에서 원시적인 초원에 사는 몽고인들을 '개량' 하는 주인공의 노력을 그린 한찬숙의 「초원」 등이 대표적이다. 이러한 정착의식은 일제에 대한 철저한 순응으로 타락하는 경우도 있어 박영준의 「밀림의 여인」과 같은 노골적인 친일문학작품을 낳기도 했다. 그럼에도 이러한 작품들은 '태평양전쟁' 이후 일제의 전시총동원체제 등 특수한 시대적 상황 속에서 한국문학의 현실대

응의 다양한 예시를 보여준다는 점에서는 상당한 가치가 있다.

중국 도시에서의 한국 이주민들의 삶을 그린 작품으로는 주요섭의 「봉천역식당」, 김광주의 「북평서 온 영감」, 「남경로의 창공」 등 소설이 있다. 주요섭의 「봉천역식당」은 화자가 봉천역 식당에서 우연하게 만난 한 한국 여인의 10년간의 변화를 그리고 있다. 처음 만났을 때 이 여인은 행복이 넘쳐흐르던 처녀였으나 점차 남성의 노리개로 전락하여, 나중에는 우울한 모습으로 목석처럼 변해버리고 만 비참한 운명을 그리고 있다. 김광주의 「북평서 온 영감」은 살 길을 찾아 '만주'와 북경 등지를 전전하다가 상하이에 온 한국 이주민의 정신적 소외를 보여준 작품으로서 식민주의와 봉건주의의 이중적 억압 하에 놓인 한국 이주민의 삶을 그리고 있다.

한국 시인들의 중국체험도 주목되는 바이다. 백석, 유치환, 이용악, 서정주 등은 중국체험을 통해 상상력의 확장, 이미지의 다양화 나아가 민족적, 시대적 인식의 전환을 이루게 되었다. 백석은 「조당(澡堂)에서」란 시에서 목욕탕의 벌거벗은 중국인들을 보면서 이방인인 '나'와 중국인들 사이의 역사와 문화, 언어와 몸짓, 그리고 표정 등의 차이를 느끼다가 인간은 결국 벌거벗은 우스운 몸에 지나지 않는다는 초월적 인식에 이르고 있다. 서정주는 취직을 위해 8~9개월 간 중국에 있었던 체험을 바탕으로 "저 만치의 쑥대밭 언덕에서는/ 역시나 때 절은 青衣의 한 滿洲國 아줌마가/ 누구의 것인가 새 棺널 하나를 앞에 놓고/ <끅! 끅! 끄르륵……/ 끅! 끅! 끄르륵……>/ 꼭 그런 소리로 울고 있었다./ 우리 단군할아버님의 아내가 되신/ 그 잘 참으신 암곰님처럼/ 씬 쑥과 매운 마늘 많이 자신 소리 같었다."(「만주제국 국자가(局子街)의 1940년 가을」) 등 살아서 숨 쉬는 이국 이미지를 창조했다. 또 이용악은 중국 '만주'에서 목격한 망국노의 슬픈 모습을 "울 듯 울 듯 울지 않는 전라도 가시내야/ 두어 마디 너의 사투리로 때 아닌 봄을 불러줄게/ 손때 수집은 분홍

댕기 휘 휘 날리며/ 잠깐 너의 나라로 돌아가거라."(「전라도 가시내」)와 같은 주옥같은 시구에 담아내고 있다. 그런가 하면 유치환은 중국체험을 바탕으로 대체로 여성적인 한국 근대 시단에서 「생명의 서」, 「바위」와 같이 단연 돋보이는 역동적인 시를 써낼 수 있었다.

4. 타자와 중국서사

한국문인들의 중국체험은 중국과 중국인을 소재로 한 다양한 문학작품들의 출현을 가능토록 하였다. 이러한 작품은 중국에서의 전통문화체험을 통한 동양문화의 가치에 대한 재인식, 자본주의적 근대체험을 통한 서양적 가치에 대한 비판, 반식민지 반봉건 사회체험을 통한 현실사회의 부조리에 대한 비판, 항일투쟁체험을 통한 한·중 연대의식 등 다양한 주제를 표현하고 있다.

우선, 전통문화체험을 통한 동양적 가치의 재발견을 보여준 작품으로는 정래동의 수필집 『북경시대』, 한설야의 수필 「연경의 여름」 등과 주요섭의 소설 「진화」, 「죽마지우」 등을 들 수가 있다. 정래동과 한설야 등은 수필창작을 통하여 중국 전통문화의 거대한 힘에 대하여 예찬하였고 주요섭은 소설 「진화」에서 중국문화의 전통성을 인정하면서 동양의 정신적 가치를 발견하려고 했으며 소설 「죽마지우」에서는 북경을 자신의 정신적 고향으로 묘사하는 등 다원적인 문화정체성을 보이기도 했다.

다음으로, 반식민지 반봉건 사회체험을 통한 현실비판을 보여준 작품으로 심훈, 피천득, 박세형 등의 시편들과 최독견의 「벌금」, 주요섭의 「살인」, 「인력거꾼」, 강노향의 「상해야화」 등 소설 작품들을 들 수가 있다. 심훈은 시

「북경의 걸인」에서 걸인의 형상을 통해 하층민에 대한 동정을 보여준 동시에 동등한 운명에 놓인 자기 민족의 고통도 하소연하고 있다. 피천득의 시 「1930년 상해」는 옷을 전당 잡혀 먹을거리를 사야 하는 현실과 곧 팔려갈 어린 생명을 시적 대상으로, 하층민들의 비참한 생활에 대해 공소하였고 박세영의 시 「북해와 매산」은 군벌혼전으로 피폐해진 북경의 암울한 현실을 비판하였다.

이와 더불어, 최독견과 주요섭은 소설 창작을 통해 제국주의 침략과 문화 헤게모니로 하여 식민지화된 상하이 도시문명의 가치결손에 대하여 비판함과 동시에 하층민들의 소외를 적나라하게 폭로하고 있다. 이러한 소설들은 참신한 시각과 심각한 문제의식을 보여주고 있는바, 최독견은 소설 「벌금」에서 중국옷을 입고는 공원으로 들어갈 수가 없는 현실과 서양 여인이 개에게 먹이던 빵조각을 고맙다고 받는 중국인 여성을 통해 굴욕적으로 살아가야 했던 하층민에게 연민의 정을 보이고 있으며 중국의 반식민지 사회현실을 신랄하게 비판하고 있다. 또한 강노향은 소설 「상해야화」에서는 조계지 프랑스인 집에서 노예살이를 하는 중국인과 프랑스 여인의 부정당한 관계 등을 통해 서양의 가치결손과 식민지 조계지에서의 남성의 소외 내지는 타락을 보여주기도 했다. 한편, 주요섭은 소설 「살인」에서 도시 최하층 기생인 우뽀의 형상을 통해 버림받고 소외당한 하층민들의 운명을 보여주면서 그들의 각성을 촉구하기도 했다. 작가의 다른 한 소설인 「인력거꾼」 역시 자본주의 문명이 최하층 인간에게 들씌운 불행에 대하여 묘사하고 있다.

이처럼 상기 다양한 소설작품들은 근대 도시인 상하이를 배경으로 그 속에서 살아가는 하층민들의 불행한 운명, 특히는 생존권을 박탈당하고 소외되어가는 인물들을 통해 식민주의의 죄행을 공소하고 있다. 물론 이러한 문제의식은 한국문인들의 중국에서의 근대적 도시체험에서 얻어진 것이라 해야 할 것이다.

또한, 유자명, 이두석, 이관용, 문일평, 이광수, 최남선, 주요섭, 김광주, 정래동, 강경애 등 쟁쟁한 한국문인들의 수백 편의 기행문들에서는 중국체험과 시대인식이 다양하게 보이고 있다. 즉 이러한 기행문은 중국전통문화와 서양문명에 대한 새로운 인식, 시국에 대한 인식과 비판, 망국 국민으로서의 애환, 민족에 대한 뜨거운 사랑, 민족독립에 대한 열망 등으로 일관되어 있다. 특히 이러한 기행문들은 근대 중국사회를 인식하는 역외시각(域外視角)으로서 귀중한 문헌적 가치가 돋보이는 바이다.

5. 가치 수용으로서의 번역과 비평

한국근대문학과 중국의 관련 양상은 중국근대문학에 대한 번역과 비평에서도 잘 드러나고 있다. 한국에서의 중국근대문학작품에 대한 번역은 주로 양건식, 정래동, 유수인, 이육사, 김광주 등 중국 유학경력이 있는 문인들에 의해 전개되었다. 소설로는 루쉰의 「아Q정전」, 「광인일기」, 「고향」, 궈모뤄(郭沫若)의 「목양애화(牧羊哀話)」, 딩링(丁玲)의 「떠나간 후」, 위다푸(郁達夫)의 「피와 눈물」, 린위탕(林語堂)의 「북경호일」, 샤오쥔의 「사랑하는 까닭에」 등이 있으며, 시작품으로는 후스(胡適)의 「등산」, 「11월 24일 밤」, 궈모뤄(郭沫若)의 「봄 맞은 여신의 노래」, 「죽음의 유혹」, 쉬즈모(徐志摩)의 「가거라」, 「우연」, 주즈칭(朱子淸)의 「잠자라, 작은 사람아」, 저우쭤런(周作人)의 「소하」 등이 있으며, 연극으로는 궈모뤄(郭沫若)의 「탁문군 삼경」, 톈한(田漢)의 「상상의 비극」, 어우양위첸(歐陽予倩)의 「반금련」 등이 있다. 그 외에도 루쉰 등의 산문이 번역 소개되었다.

이외, 중국근대문학과 관련된 비평으로는 양건식의 「호적 씨를 중심으로 한 중국의 문학혁명」(1920, 번역문), 김태준의 「문학혁명 후의 중국문예관」(1930), 정래동의 「중국 양대 문학단체 개관」(1931, 번역문), 「노신과 그의 작품」(1931), 「중국문단의 신작가 파금의 창작태도」(1933), 김광주의 「중국 좌익문예운동의 과거와 현재」(1931), 이육사의 「노신 추도문」(1936) 등이 있다.

이러한 중국근대문학 작품의 번역과 비평을 통해 한국 근대 문인들의 중국문학에 대한 인식과 수용 자세, 한국 근대에 있어서의 중국의 사회사상과 미학사상이 미친 영향, 나아가서 한국 근대 문학번역사와 문체의 변천과정도 이해할 수가 있다. 주지하다시피, 한국 근대 문인들은 대부분 일본을 통해 서구문학을 수용하였고 또한 서구문학에 대한 번역과 소개도 적지 않게 진행한 바이다. 그럼에도 프로문학 등 특수한 영역을 제외하고는 한국 근대 문단에서 일본문학이 별로 번역·소개되지 않았음은 주목이 필요한 대목이다. 이에는 식민지시기라는 특수한 시대적 상황 속에서 형성된 이질감과 거부감이 작용했을 것이다. 이러한 점을 염두에 둘 때 한국에서의 중국 근대문학의 전파와 수용은 근대 한국 문인들이 중국 근대작가들과 함께 20세기의 동아시아적 가치를 창출하고 공유하고자 한 시대의식과 무관하지 않을 것이다. 바로 이런 의미에서 중국근대문학에 대한 번역·소개와 비평은 한국근대문학과 중국근대문학, 나아가 중국과의 관련을 해명하는 데 불가결한 중요한 영역이기도 하다.

6. 편찬 동기와 총서의 구성

일찍 2014년 연변대학 통문화센터에서는 중국어로 된 『'중국현대문학과 한국' 자료총서』(1~10권)를 간행한바 있다. 베이징에서 열린 이 총서의 출판기념 좌담회에서 중국의 근대문학 연구자들은 필자에게 『'한국근대문학과 중국' 자료총서』를 편찬할 것을 제안한 바가 있다. 이에 상기 자료집 편찬의 중요성과 절박성을 깊이 인식하게 된 나머지 편찬위원회를 묶어 총서의 편찬사업을 시작했다. 한국근대문학과 중국 관련 자료는 이미 적지 않은 자료집에서 수록되기도 한 바이다. 예하면 연변대학 문학연구소에서 편찬한 『중국조선족문학대계』, 북경민족출판사에서 편찬한 『중국조선족 문학유산 정리편찬』 등에 수록된 적지 않은 작품들은 편찬자 나름의 시각에 따라 중국 조선족문학의 출발점으로 인식되어 중국 조선족문학 권역에 귀속시켰지만, 한국근대문학사에 있어서도 중요한 작가와 작품들이다. 물론 상기 자료집들은 한국근대문학과 중국 관련 연구를 위해 정리된 자료 총서가 아니며 한국근대문학과 중국과의 관련 양상을 살피기에는 전체적이지 못함도 짚고 넘어가야 할 것이다.

한국근대문학과 중국 관련 연구는 1990년대부터 학계의 주목을 받기 시작하여 적지 않은 연구 성과를 내고 있다. 그럼에도 아직까지 중요한 자료들에 대한 발굴과 정리가 진일보 요청되고 있으며 일부 연구들은 충분한 자료적 검토가 확실하지 못한 점도 없지 않다. 이러한 상황은 한국근대문학과 중국 관련양상의 전반적 검토와 연구의 심화에 장애로 작용하고 있으며, 이에 본 자료집은 그에 대한 극복을 목적으로 하고 있다.

『'한국근대문학과 중국' 자료총서』는 편찬 의도를 구현하기 위해 작품 선정에서 첫째로, 한국근대작가들의 중국체험을 바탕으로 중국의 시간과 공간에서 벌어진 인물과 사건들이어야 하며, 둘째로, 중국인들의 생활 혹은 중국에서의 한국인들의 생활을 소재로 해야 하며, 셋째로, 중국체험을 기반으로 하는 동서양 관련 문화인식을 다룬 작품도 가능하다는 원칙을 지키고자 했다. 한편, 편찬과정에서 적지 않은 애로에도 봉착하였는바, 일부 작품들은 당시의 중국 경내에서 꾸려진 신문, 잡지들에 발표되었으나 신문과 잡지의 보존상태가 완전치 못하여 그 전모를 알 수가 없으며, 아울러 신문, 잡지의 경우 여러 곳의 도서관과 서류관에 분산되어 있었다. 또한 일부 작품들은 유고로서 분실된 것도 있었기 때문에 편집자들은 이러한 난제를 풀기 위해 국내외 도서관들을 찾아다녀야 했고 따라서 관련 인사들을 찾아 방문하기도 해야 했다. 비록 편찬자들이 많은 노력과 심혈을 기울였지만 아직 미비한 점이 적지 않다.

본 총서는 총 16권으로서 창작편 11권(소설 4권, 시 3권, 기행문 2권, 정론·실기·수필·희곡 2권)과 비평집 5권이다. 편집과정에서 편찬자는 발표 당시의 원본 형태를 그대로 보여주기에 노력을 경주하였으며, 섣불리 개정이나 첨삭을 시도하지 않았다.

본 총서는 편찬과정에서 국내외 많은 한·중 문학관계를 연구하는 전문가들의 열정적인 관심과 도움을 받았으며 특히 국내외 도서관, 서류관의 지지와 성원을 받은 바 있다. 총서의 편집에 도움을 주신 모든 이들에게 진심으로 되는 감사를 드리는 바이다. 앞으로 본 총서가 한·중 문학관계 연구자들과 독자들에게 도움이 되기를 진심으로 바라며, 미진한 점에 대해 전문가들과 독자들의 기탄없는 비평을 기대하는 바이다.

2020년 2월 1일

차례

일러두기

1. 본 총서는 1919년 중국의 '5·4운동' 전후시기부터 시작하여 1948년 남북한 단독정부 수립에 이르기까지 중국인 및 중국에서의 체험을 소재로 창작한 문학작품 중 문헌적, 문학적 가치가 높은 작품들을 수록하였다.
2. 본 총서는 총 16권으로 구성되었는바 소설(1~4권), 시(5~7권), 기행문(8-9권), 평론(10-14권), 정론·실기·수필·희곡(15-16권)으로 나누었다.
3. 초간본을 저본으로 하여 원본의 표기를 최대한 보류하는 것을 원칙으로 하였으나 일부 초간본을 확인할 수 없는 작품의 경우 초간본에 가장 가까운 판본을 수록하였다.
4. 독자들의 읽기와 이해를 돕기 위하여 표기법은 아래와 같은 원칙을 적용하였다.
   - 근대 모음을 현대 모음으로 바꿨다.

     예: ㆍ→ㅏ
   - 근대 겹자음을 현대 겹자음으로 바꿨다.

     예: ㅺ→ㄲ, ㅽ→ㅃ
   - 띄어쓰기는 현행 한국어 표기법의 기준을 따랐다.
   - 소설의 경우 문장부호를 현행 한국어 표기법의 문장부호로 통일하였다. 대화는 " ", 간행물과 단행본의 명칭은 『』, 기사와 작품의 명칭은 「 」, 음악작품의 제목은 < >, 연극작품은 ≪ ≫로 통일하였고, 명확하지 않으면 《 》를 사용하였다.
   - 기행문, 평론, 수필, 정론, 시가, 희곡의 경우 원본의 문장부호를 보류하였다.
   - 원본에서 판독이 불가한 문자는 □로 표시하고 판독 불가한 문자가 1행 이상일 경우에는 주해에 "이하 × 자 판독 불가"를 밝혔다.
   - 원본의 오탈자, 오식은 보류하고 해석이 필요한 경우에는 주해에 "편자 주"를 밝혔다.

     예: 1) "淅江"은 "浙江"의 오식 — 편자 주
5. 외래어는 원본의 표기를 보류하였다.
6. 인명, 지명 등 고유명사는 원본의 표기를 보류하였다.
7. 한자는 원본의 표기를 보류하였다.
8. 잘못된 인명, 작품명, 신문·잡지명 등과 한자들을 중국어 원문과 대조해 바로잡았다.

시 II

『독립신문』[01](獨立新聞)편

01 『독립신문』은 1919년 8월 21일 창간되어 1925년 9월 25일 종간되었다. 중국 상하이의 프랑스조계지에서 창간되었는데 사장 겸 주필은 이광수였고 편집국장에 주요한이었다. 이 신문은 제호를 세 차례나 변경하였다. 창간 때는 『獨立』이라는 제호로 제21호까지 발간하다가 제22호(1919년 10월 25일)부터는 『獨立新聞』으로 바꾸었고 제169호(1924년 1월 1일)부터는 『독립신문』이라는 한글명을 사용했다. 이 총서에서는 일부분의 시작품을 발췌하여 수록했다.

경재(璟載) 편

저 비(雨) 보아라

저 비 보아라
南北滿州들에는 오지를 마라
山과 수풀 속에 모혀 잇난
우리 大韓獨立軍은
어이 하란 말이냐

저 비 보아라
黑龍江 골작(谷)에는 오지를 마라
집 일코 혈버슨 勇士네는
어이 하란 말이냐

저 비 보아라
인왕산 밋헤는 오지를 마라
怨讐의 鐵窗에서 呻吟하는
우리 勇士의 心情은
어이 하란 말이냐!

저 비 보아라
北滿의 외로운 客이 잠을 깨니
눈물에 싸인 요 내 가슴은
어이 하란 말이냐

『독립신문』, 1922.6.24.

애처러워라

애처러워라
우리 獨立軍
茂盛한 풀밧에서
괴로운 잠 자고
쓰린 배(腹)를 얼마나 쥐여뜻더니

애처러워라
山 말고 물 말근 네 祖上나라
잇지 못할니라 잇지 못할니라
달이 고요한 그때나
비소리 요란한 그때나

애쳐러워라
저一靑山과 白雲 밧게서
울고 울고 헤매이는
二千萬의 同胞兄弟가 잇난 줄을
잇지 못하리라 잇지 못하리라

애쳐러워라
怨讐의 暴虐은 날날이 더한데
우리의 先導인 頭領者덜 뭇노니
엇지려나 엇지려나
가슴 답답 속 터지런다

『독립신문』, 1922.7.1.

乞人

어느 날인가 몹시도 더운 날
나는 온갖 煩悶을 撲滅코져
더듬더둠 公園에로 차자가섯다
襤褸에 싸이엿고 눈물에 뭇친
한 거지가 집에는 七十老母가 잇고
배곱하 우는 어린 兒孩의 哀願
참아 듯고는 잇지 못하갓다고
나에게 洞錚을 請하여섯다。

그는 일즉이 어느 工場에서
품파리하야 온 食口가 살아왓다요
雪上의 加霜이여라
機械에 손이 傷해서 그것쫏차 不能이라고

밋지 못하리라, 現代의 資本家
그를 爲해 땀 흘니고 애를 써것만
一旦 몸이 傷하고 보니
헌신작(弊履) 바리듯 하엿서라。
밋지 못하리라。아니 살지 못하리라

現代社會의 制度 밋테서는!!

나는 衣囊을 뒤져보앗다
지갑도 時計도 손수건까지도……
아무것 하나도 아니 가저섯다
아! 거지는 아즉도 손을 내여밀고
무엇 주려니 苦待하고 이섯다
떨니기 始作하엿다
떨닌다、그의 손은

나는 皇忙하엿섯다. 할 수 업서
그의 더러운 손을 꼭 쥐엇다。
"兄아! 容恕하여라。
나는 공교히 아무것 하나도 가진 것이 업다。"
거지는 눈물이 그령그령한 눈으로
나를 보앗다。
그리고 싱긋 우서 주엇다。
그 亦 차듸찬 손으로
나의 손을 힘잇게 쥐여 주엿서다。

"아니올시다。惶悚하외다。
이것만 해도 感謝함니다。"
아—이때에 나의 가슴은 얼마나?
(八月十六日 N公園에서)

『독립신문』, 1922.9.20.

김여(金輿) 편

三月一日

黃河水 건너 부는 바람
피바람 한숨 바람
아아 이날에 數萬의 無辜
倭칼에 倭銃에
맞고 죽단말가
오오 언제나 流血이 나리
언제나 끗나리,

거룩한 싸음 의로운 싸음
어느덧 一年이로다
地下의 의로운 英靈
鐵窓에 자는 勇士
그러나 安心하소서
安心하소서
自由의 해빗치 正義의 旗빠ㄹ이
새 光彩 發할 날 머지 안나니
머지 안나니

奴隷의 쓸아림
壓迫 惡刑 虐待
아아 생각만 하여도 소름이 끼친다
내 아우 채우든 모양
내 누의 끌니여 가든 모양
내 父母의 여인 魂
아아 아직도 이 눈에 암암하다
죽어도 이 羈絆은 免하고 말리라
이 羈絆은 免하고 말리라

千萬番 다시 죽어도
獨立은 하고야 말리라
왼 天下 다 막아도
獨立은 하고야 말리라
三千里 피우에 뜨고
二千萬 한아도 안 남아도
獨立은 하고야 말리라
하고야 말리라

이 가슴 뛰는 피 正義의 피
이 팔뚝 흘으는 피 自由의 피
이 피를 뿔일 때
오오 이 피를 일
榮光의 無窮花

다시 피리라
그려운 祖國江山
歡喜에 차리라
歡喜에 차리라

『독립신문』, 1920.3.1.

鄕愁

故鄕에 피던 꼿 여긔도 퓐다
故鄕에 울던 새 여긔도 운다
다 갓치 사람이 生活하는
어대나 瞬間의 快樂 업스련만은
故鄕의 꼿 눈에 띄울 때
故鄕의 새소리 귀에 울닐
이 가슴 그리워 터지려한다
아아 언제나 도라가리

山 넘고 물 넘어 져긔 져 멀리
아츰 해빗 빗나는 져긔
나그리는 無窮花 피는 져긔
비록 貧困의 설음이 잇다 하여도
때로 不意의 災難 온다 하여도
쓰던 달던 내 살님사리
아아 언제나 도라가리

가는 비 窗外에 霎霎히 올 때
밝은 달 蒼穹에 소사오를 때

故鄕의 녯 記憶 더욱 새로아
오고가는 바람비에 나의 草屋은
얼마나 더 문허젓으며
半百이 더 넘은 나의 父母는
얼마나 白髮이 더하엿스랴
아아 언제나 도라가리

먼길에 疲困한 몸 풀 우에 누어
無心히 바라보는 北녁 하늘 우
흰구름 두어 덩이 물니여간다
아아 져 밋헤 나의 님 게시런만은
져 밋헤 나의 동산 푸루련만은
져 밋헤 나의 샘 흐르련만은
아아 언제나 도라가리

사람이 살면은 萬年을 살랴
하늘게 바든 짤은 동안을
幸福 잇게 有用하게 쓴다 하여도
오히려 最後의 눈 안 감기거든
하물며 山 갓치 싸힌 이 짐을
몸 다하여 맘 다하여 애쓰던 이 몸
속절업시 海外 새 漂迫의 生活
생각하면 눈물이 더욱 흐른다
아아 언제나 도라가리

『독립신문』, 1920.5.11.

무명 씨[02](無名氏) 편

追悼歌

寬甸通信

殉國諸士의 追悼會

故辛光在氏 等 十九人을 爲하야 軍政署義勇隊에서 追悼式擧行。

別項記載의 追悼會席上에서 合唱한 追悼歌가 左와 如하더라。

슬푸다 殉國한 우리 勇士야
同志을 바리고 몬져 갓고나
國土을 未復코 身先死하니
애달고 寃痛한 이 몸이로다
倭賊의 未盡滅을 恨치 마러라
最後의 成功을 우리 担當해
前進無退한 義勇軍人아
光復할 날이 머지 안켄네

---

02 작자가 불명확한 작품들을 "무명 씨"로 한데 모아 정리했으며 여러 작자들을 망라하였음을 밝힌다.

神靈한 皇天이 感應하소사
우리의 忠魂을 慰勞하소서
우리에 英魂을 竹帛에 올려
꼿따운 일홈을 千秋에 傳해

『독립신문』, 1922.8.29.

漂浪

바람은 분다 비는 온다
오든 비 부든 바람 끗나기 前에
또 이러난다 또 이러난다
내 가슴 속에 타는 불이!

이곳이 어듸라요
西伯利亞 찬 벌판인가요?
南北滿洲 풀밧 속인가요?
그것도 아니면 江南의 것친 들인가요。

괴롭다 마러라 우지 마러라。
먹을 것 업고 입을 것 업다고。
나라 亡하고 主人 업난 百姓
의레이 그럴 줄 몰낫더냐?

그러나 우러라 또 울어라。
放浪에 放浪을 게속하는 너이들
目的이 무어냐? 잇지 말어라。
漂浪의 報酬로 自由의 月桂冠……

『독립신문』, 1922.9.11.

秋夜江遊

秋夜長江 달 밝근대
배를 저여 가노메라
天地에 放浪커늘
슬흔들 어이하리
千愁萬恨을
오직 저 滾滾한 長流에

江水는 바다로
月色은 山 넘어 도라간다
江邊에 자는 白鷗
秋草間에 우는 虫聲
船子야 뉘라서
自古로 興亡이 有數라더냐

悠悠한 이 心思
滾滾한 저 流水
月光에 醉한 魂이
淸風에 춤추도다

벗님아 이렇게 晝夜東流로

훨훨 우리 洛陽勝地에

『독립신문』, 1922.9.20.

秋吟

하날은 놉고 바람은 산듯
우수수 나리난 나무입(葉)은
가을철이 완연하다고
自然은 나에게 속삭이엇서라

아사요 마라요 꺽지난 마라요
고 고흔 丹楓 시드러지면
백설이 펄펄 날닐 뿐이라고
自然은 나에게 속삭이엿서라

시들푼 草綠은 죽거나 말거나
바람이 솔솔 부러오니
依支업시 떠도난 포틸
心思의 不安은 더욱 甚하엿서라

『독립신문』, 1922.10.20.

獨立軍

一

西伯里와 滿洲뜰 險山難水에
決心 품고 단니는 우리 獨立軍
千辛萬苦 모도다 달게 녁이며
눈물 땀을 뿔임이 그 얼마인가

二

蒙古沙漠 내부는 차듸찬 바람
私情업시 살졈을 떼갈 듯한데
森林 속에 눈 깔고 누워잘 때에
끌는 피가 더욱히 띄거워진다

三

지친다리 끄올며 步步前進코
쥬린 배를 띄졸나 힘을 도읍네
無情하다 歲月은 흘너가건만
目的하는 큰 事業 언제 일우랴

四

父母兄弟妻子를 離別하고셔
十餘年을 이갓히 生活하다가

無窮花가 봄 맛나 다시 필 때에
우리 즐겁 딸아서 無窮하리라

『독립신문』, 1922.10.21.

우리 身勢

따(地) 업슨 자여!
찬바람 몸에 부디칠 적에
좁살알 갓흔 소름 전신에 쥐여뿌리어라
그리고 봄빗에 따듯한
錦繡江山을 생각하여라

집 업슨 者여!
찬 눈(雪) 휩날닐 적에
떨니난 몸을 움치(縮)겨여라
그리고 봄빗에 따듯한
故國살림을 생각하여라

옷(衣) 입은 자여!
찬셔리(霜) 억깨 우에 내려불 적에
손끄락 발끄락 어러 빠지여라
그리고 봄빗에 따듯한
祖國山川을 생각하여라

먹을 거 업슨 자여!

찬 아츰 空氣에 痲痺될 적에

쓰리고 주린 배(腹) 응키여 잡어라

그리고 봄빗에 따듯한

无花동산을 생각하여라

五五、一〇、一二 放野 ……

『독립신문』, 1922.10.30.

K兄의게

아—사랑하은 K兄아!
네의 마음을 내가、
내의 마음을 네가、
셔로셔로 알아 理解함이여!
管仲、鮑叔이 잇슨 후
너와 내가 오날에 처음인가?!
하노라!

아—사랑하는 K兄아!
네의 살을 내의게、
내의 살을 네의게、
셔로셔로 밧치여 將來를 圖謀함이여!
桃園에 三人이 잇슨 후
너와 내가 오날에 처음인가?!
하노라!

아—사랑하는 K兄아!
우리 오날 셔로 난호임이여!

造物이 믜웨함이던가?!

鬼神이 싀기함이던가?

牽牛織女 잇슨 후

너와 내가 오날에 처음인가?!

하노라!

—四、九、廿五日、同濟에서—

『독립신문』, 1922.12.13.

이광수(李光洙) 편

間島同胞의 慘狀[03]

불상한 間島同胞들
三千名이나 죽고
數十年 피땀 흘려 지은 집
벌어들인 糧食도 다 일허버렷다
尺雪이 싸힌 이 치운 겨울에
엿더케나 살아들 가나
먼히 보고도 도와줄 힘이 업는 몸
속절업시 가슴만 아프다
아아 힘!
웨 네게 힘이 업섯던도
아아 웨 너와 내게 힘이 업섯던고
나라도 일코
기름진 故園의 福地를 떠나
朔北에 살 길을 찻던

03 춘원(春園)이란 필명으로 발표함.

그 둥지조차 일허버렷고나

오늘 밤은 江南도 치운데

長白山 모진 바람이야

으즉이 모진 바람이야

으즉이나 치우랴

아아 생각히는 間島의 同胞들

『독립신문』, 1920.12.18.

져 바람소리[04]

져 바람소리!
長白山 밋헤는 불지를 말어라
집 일코 헐벗은 五十萬 동포는
어이하란 말이냐
져 바람소리!
인왕산 밋헤는 불지를 말어라
鐵窗에 잠 못 이룬 國士네의 눈물은
어이하란 말이냐
져 바람소리!
만쥬의 들에는 불지를 말어라
눈 속으로 좃기는 가련한 용사들은
어이하란 말이냐
져 바람소리!
江南의 닙 떨닌 버들을 흔드니
피눈물에 늣기는 나의 가슴은
어이하란 말이냐

『독립신문』, 1920.12.28.

---

04 춘원(春園)이란 필명으로 발표함.

주요한(朱耀翰) 편

가는 해 오는 해[05]

하늘 우헤 푸른 燭臺가
또 하나 너머진다
그 때에 꿈갓흔 나의 한해가
또 다시 과거의 幕 속에 업서진다

나를 울닌 해!
나를 깃부게 한 해!
네 속에서 새로 난 나라들
네 안에서 다시 산 民族들
너는 人類에게 새 希望을
온 世界에 새 싸홈을
歷史 우에 새 軌道를 주엇다

거기서 復活한 나의 祖國

---

05 「즐김 노래」와 함께 "송아지"라는 필명을 사용했다.

거기서 망울진 나의 民族
만일 네가 아니 왓더면
나에게 그갓흔 눈물이
나에게 그갓흔 우슴이
또한 아니 왓슬 터이다

하늘 우에 붉은 별이
또 하나 生겨난다
그때에 뜻깁흔 나의 한해
또 다시 새벽빗츨 비친다

반갑고나 새해
눈물겨운 새해
운명이 가져온 너
압길이 漠漠한 너의 길
네게는 모단 바람이
네게는 모단 惡運이
한업시 싸웨잇다

네게서 무엇을 求할까
깃븜을 구하랴 슬픔을 구하랴
萬一 네가 아니 오면
나에게 깃븜이 업스리라

그러나 또 네가 아니 오면
나에게 슬픔도 아니 올거슬

아아 只今 나의 조국은
危難 중에 떨고 잇다
새롭고 낡다는 區別도
눈물도 깃븜도 다 떠나가라
다만 榮光의 勝利여 네 아페
나의 불근 피로 뿌릴 날을 기다리라

『독립신문』, 1920.1.1.

즐김노래

동무들아
이 날을 記憶하느냐
피와 꼿과 눈물로서
너의 祖國이 다시 산 날
이날에
二千萬의 소리가
물결가치 움즈겻다
이 날에
三千里 산과 벌이
깃븜으로 떠럿다
오오 이 날에
이 크고 거룩한 날에
너의 가슴은 끄러오르고
불근 두 뺨은 눈물로 빗낫다

同무들아
이 날을 記憶하느냐
빗거문 주금의 옷을 바리고

受難者의 불세레를 밧던 날
이 날에
너의 父母, 同생, 어린 것
피뿌려 거룩한 싸홈의 先驅를 지엇다
이 날에
너의 불붓는 情熱의 心臟이
惡한 敵의 銃칼 아페 白熱되엇다
오오 이 날에
이 莊嚴과 아픔의 날에
내뿜던 聖潔한 感激의 피가
黑暗한 東亞에 횃불을 드럿다

동무들아
記憶하느냐, 이 날을
彷徨의 曠野, 어둠의 골작에서
悲痛한 苦難의 榮光으로 뛰어나간 날
즐기세, 이 날을
이날에 네 祖國이 부르던
놀 뛰는 젊은 피의 노래로
즐기세, 이 날을
불 붓는 自由의 祭壇 우에
尊貴한 盟誓의 祭物을 드려서
오오 이 날을
祖國과 함께 즐기세, 生命의

自由의, 깃븜의, 노래 불너서
가시의 길을 나갈 때에도
苦難의 못가에 너머질 때도
祖國과 함끠 즐기세, 自由의
偉大한 노래 불너서, 이 날을

『독립신문』, 1920.3.1.

내가 죽엇서? 龍華에 꼿구경하고[06]

一

『봄이 왓다』、

龍華寺近處、복송아꼿이、웃기에

사람들이、「봄」을 보려、모혀 들드라。

달젼까지도、『죽엇다』 비웃든 外人들도、

다시산、복송아꼿、웃는 꼴을 보겟다구、

얼골살、두텁게도、모혀들드라。

十里한 줄、분홍띄가、

『내가 죽엇서?』、

그들이、달젼에、그곳에서、

『내가 죽엇서?』할 젹에는、

적젹도 하드라、차자오는 이 업서、

『흥、산 것 갓흐냐? 불상한 것들、미련한 것들!』 하더니라

봄이 왓다、봄이 왓서、

十里한 줄、분홍띄가、

오늘、역시 그곳에서、

---

06 牧神이란 필명으로 발표함.

『내가 죽엇서?』
대답이 업서라、믁믁、
그러나、自動車는 웨?
말달님은 무슨 일!
그래도 『죽엇나?』
『屍體구경 나오나?』
『숨엇든 씨가、살앗단다、봄날녜』
아즈랑이가、귀 속으로、속삭이하드라.
『숨은 자여!』 어린이의、떠도는 靈이、부르짓다、
『사람이 죽엇다 하지? 바람이 칩지!』
그러나、十里 한 줄 龍華桃花가、
「내가 죽엇서?」 하드라、야、

二

분홍쟝 옷 두른、통통한 處女들、
가만히、품에 안고、
『비밀을、가르쳐다고、』
어린이의、靈이、애원하엿다
『그져는、안됨。빨간 입 엽에、
입맛 초아다고』
『그림、그러지』 하고、단숨에ㅅ、
뜨거운 입맛춤을、
그래ㅅ더니、빨갓케、낫、붉히면서、
쟝옷슬 벗드라、

그러니、그건、處女가 아니고、

다슷닙、분홍비치、

탑삭부리 녕감。

탑삭부리가、우스면서、

『숨은 씨를、보호하여라、

업새지 말라、

그거시、누리의、제일 큰、

비밀이다!』

- 四月一日 留滬학생회

픽닉ㄱ크때

『독립신문』, 1922.4.15.

해일(海日) 편

아아 庚戌 八月二十九日

아아 이 날
半萬年의 神聖한 歷史가
아아 이 날
二千萬의 귀여운 生靈이
暗黑의 첫 덤을 쓰단 말가
千古에 陋臭를 남기단 말가

십년의 苦楚
오오 祖國江山
얼마나 그의 가슴 우에
피 눈물 자최가 남앗느뇨
아아 멋번이나
斷腸의 哭聲이 들니엇느뇨
可憐한 奴隸의 可憐한 奴隸의

自由가 勒奪된 이 날
正義가 蹂躪된 이 날

오오 이 날을
韓倍의 子孫들아
哭하여 새우리
億萬代 늬우치리

오오 이 날
韓倍의 子孫들아
血을 밧치라 肉을 밧치라
祖國을 爲하여 祖國을 爲하여
아직도 惡毒한 서읍놈은
칼을 품나니 毒藥을 붓나니

『독립신문』, 1919.8.29.

秋夕(俗歌)

오날이 八月十五夜
녯일을 生각하니 눈물겨운다
千萬里他鄕에 이타는 가슴
한 잔의 五茄皮로나 슬어바릴가

져 달아 네아리니 말 무러보자
우리의 아우와 뉘는 얼마나 울드냐
黃河水 구불구불 네 무슨 怨수로
그려운 江山을 가로 막느냐

漂迫東西 可憐한 이 몸
이 날에 우른 적이 메ㅅ번이런고
나라 일코 집 일코……애답다 皇天아
아아 奴隷의 이 서름을 어듸다 살으리

亡命의 悲運을
同胞여 슬퍼한들 무엇하며
꿈갓흔 光榮을

同胞여 回想한들 그 무엇하랴
달 밝고 朗明하니
노래나 부르세
노래나 부르세

『독립신문』, 1919.10.28.

아아 내 나라

모단 福樂
모단 繁榮
모단 生活의 本源
아아 내 나라
그대 밖에 또 잇으리
아아 내 나라

限없는 苦痛
患難
오오 비록 죽음이 잇다 한들
아아 내 나라
다 무엇이리
아아 내 나라
그대만 잇으면

나의 나고
자란난 곳
億萬對後孫의 基業

아아 내 나라
天下를 주ㄴ다 한들
아아 내 나라
님에게 比하리

죽어도 님 爲해
살아도 님 爲해
아아 내 나라
나의 生命
永遠히 내 사랑
아아 내 나라
아아 내 나라

『독립신문』, 1920.1.1.

『민성보』[07] (民聲報) 편

07 『민성보』는 1928년 1월 용정에서 꾸린 당시 중국 연변지역에서는 유일한 진보적 신문이었다. 이 신문은 한조(漢朝) 두 문자로 된 4개 면을 내었다. 1931년말에 종간되었으며 현재 볼 수 있는 것은 10여 일 분량의 신문에 게재되어 있는 시들이다.

근파(槿坡) 편

님을 차즈며

내 그대를 따라 이 따를 차저옴은—
반생에 그리운 정을 향여나 풀가하야
북만—천리길에 노수도 한 푼 업시
한 줄기 글만 믿고 홀로 떠나왓소

고개마다 넘는 고개님의 기척 살피이나
적적한 세상이라 소식 듯기 어러우니
넘어가는 초생달에 눈물만 스치고서
한고비 뭉친 한을 또다시 태고 잇소

봄물은 여전 따를 다시금 발버올 때
넷님의 꿈결이 압흘 가리우니
목메인 글소리도 내 귀엔서 들이오
동소슨 모아산도 내 눈엔 가시라오

한이야 타든 말든 님이나 맛낫스면
어을렁 뛰는 맘에 만단설화 하렷드니

님은 가섯스라 차저볼 길 업사오매
되걸혀 고개 넘기 발길만 허득이오

무정 하오서라 필시 긔약하든 랑군
보롬달 넘기 전에 소식 멀이 하러드니
불원천리 이 내 마음 불현히 꺼저질 듯
되도라가야 하매 눈물 먼저 압흘 서오!
一九二八、五、三日 S양을 추억하며

『민성보』, 1928.6.1.

김근타(金槿朶) 편

여름의 農村[08]

(三)밤

밤은 깊허 집집에 등불은 키여지고
하날 우에 별들도 반작어리건만—
맥업시 느러진 그는 별조차 보지 못 되엿다
배곱하 잉—잉— 밥 달라 우는 어린애
세네때 굼주린 어머님에겐들 엇지 젓이 잇으랴

겻헤 집에선 저녁 연긔 끈어진 지 오라고
뒤산의 부엉새는 깁흔 밤을 노래하는데
때ㅅ지난 잇때 누구의 집에서 한술 밥 엇어오랴!

여전히 울고 잇는 어린애는 말끗마다 밥 주—
한숨 짓는 부모의 간장 다 녹여내리나니
긴긴 여름밤 또 엇지나 새워 보내랴?

---

08 「여름의 농촌」중의 세 번째 부분이다.

- 一九三十、五、七일 밤에

『민성보』, 1930.5.21.

남문룡(南文龍) 편

白色테로

地球의 右弦은
白色의 가을—
反動의 불길에 탄다

千年을 굴너 온
万年을 굴너 갈
歷史의 車輪을
뒤로 뒤로 걱구루 끄으는 놈
世紀의 野奴!!
임페리알니스트!!

兵工廠의 大繁榮—
勞動力의 剝奪—
世계의 再分割—
○○屠殺의 準備!!

보라!!

山東의 血巷을!!
濟남의 ○○를!!
피에 주린 餓鬼의 狂舞를!!

島國의 뭇스리니는 이제야
勞農大衆의 목을 비틀고
불근 피!!의 바다를 헴치??
惡魔의 哄笑에 겨웁지 안느냐

○○의 ○○!!
最後의 發惡!!
아아 世紀의 野奴!!

『뿌ㄹ죠아지가 亡하나
被壓迫民衆이 亡하나』
決戰의 날은 갓가웟다
人類最後의 스태트멘트
東京의 地獄!!
半島의 ○○!!
四億의 ○○!!
革命의 前夜는 왓다

『민성보』, 1928.5.31.

백악산인(白岳山人) 편

朝鮮心

동모야 아느냐 됴선의 마음은—
겨레의 마음을 한데 태워서
옳바로 밝어진 자유의 품에
님을 빗취는 「거울」을 삼노니
「때」의 思潮가 한업시 흘러서
사람의 마음을 낡는다 해도
님의 마음은 꾀일 길 업느니
幻影을 헷치고 眞을 차저서
「바람」의 프른 旗를 놉히 세우라

동모야 아느냐 됴선의 마음은—
겨레의 「뜻」을 한데 매저서
祭壇에 드리는 薰香을 삼노니
세상에 물결이 끗업시 거치리
「?」의 밝휘가 구른다 해도
님의 마음은 변할 길 업노니
우름을 그치고 歡喜를 간직해

축복의 한 잔을 놉히 들으라—

동모야 아느냐 됴선의 마음은—
겨레의 피를 한데 비져서
곱고비 옥매진 원한의 가삼에
新生의 꼿을 피우게 하리니
「남」의 빗갈이 아모리 고와도
온누리 사람이 죄다— 따르리
님의 마음은 변할 길 업노니
서름을 것고 안위를 간직해
됴선의 「美」를 기리 맛보라

동모야 아느냐 됴선의 마음은—
겨레의 魂을 한데 뭉처서
나나리 빗나는 震域의 터전에
새로운 聖塔을 놉히 싸러니
악마의 벽역이 되겁히 내리쳐
히생의 旋風이 이 따을 삼키여도
님의 精華는 꺼질 길 업노니
락망을 바리고 勇氣를 내여—
韓土에 「한빗」을 기리 밝히라
四二六一、五、十四

『민성보』, 1928.5.27.

이욱(李旭) 편

님 찾는 마음[09]

님이시여 당신이 부르시며는
우거진 숲 속의 사슴의 다름으로
안개의 골짜기로 찾어서 가지오

님이시여 당신이 부르시며는
안 마을 찾어오는 제비의 나름으로
검푸른 太空으로 찾어서 가지오

님이시어 당신이 부르시며는
하늘에 흐르는 번개의 빛으로
火山의 비탈로 찾어가지오

『민성보』, 1930.5.21.

---

09 李月村人이란 필명으로 발표함.

철주(鐵舟) 편

燕歌解

내 누어 알는 방 欄干 끗에는
제비둥이가 잇다
숫제비 암제비
낫에는 진흑을 물어다가
녯둥이를 修理하고
밤에는 목을 엇걸고 자더라
日氣가 명朗하고 바람이 和暢하면
둥이 압에셔 노래를 부른다
나는 그 노래를 들을 때마다
귀를 긔웃거리며 압음을 잇고
그 노래의 뜻을 풀엇다
「배달의 靑年아 청年아
(솔솔솔미미레미미레)
우리는 녯집을 찻는데
(미레도솔솔솔미레도)
너는 누어서 알키만 하느냐
(미레도미레솔미레미레도)

風滿樓하고 雨將來한다

(라라라솔솔솔솔솔솔)

너는 將次 어디로 가려나

(라라솔솔미레도미레도)

너도 어서 집을 찾어라」

(라라솔솔미레도미레도)

- 寧古塔 東京城 蓮花浦 病床에서

『민성보』, 1928.6.3.

초래생(初來生) 편

端午

살님은 오날도 어제 갓흔데
아해는 端午가 도라왓다고
새 옷과 과자 타령 하옵니다

病席에 누어 呻吟하고 잇는
어머니 傷한 몸에 흐르는 피
움숙한 두 눈에 눈물이 괴여
옷깃을 적시고도 남습니다

차라리 生命을 땅에 무드며
人間의 모든 날을 戰取하야
우리의 名日를 만들 땟까지
그리고 옷과 과자를 줍시다

『민성보』, 1928.6.29.

C·S·C 편

언니를 그리우며

두 골을 처들어 외치는 그 소래는—
상긔도 내 맘에 자최를 남기이니
가삼에 깁히 어린 언니의 눈물자국
밤마다 빗치인들 마를 길 잇스리

비 오고 바람 불 때 한 줄기 맷촌 정이
멀이 게신 언니 품에 다리라도 노흐련만
외로히 조는 등불 언니 셤을 발키니
내 홀로 밤을 새여 언니 맘을 그려 우네

언니는 멀이 가서 도라올 길 업사오매
女性層—매인 줄이 그나마 물어질 듯
내 가슴에 피난 꼿도 우슴이 간 곳 업고
뭇아가씨는 근네(鞦韆)즐 한 가닭 또 처지네

先驅의 저 멍애를 뉘가 바로 메일손고
解放의 길쌈을 뉘가 다시 짜올넌고

찬서리 어린 몸을 둘 곳조차 바이업서
악마의 프른 매를 내 홀로 마즈리니
철업슨 뭇아가씨 내 팔 잡고 울고 잇네

동모야 우즈마라 언니 뜻을 직혀서도
女性들아 무서마라 언니 용맹 간직해서
힘차게 뛰여올러 처진 줄을 다시 잡고
한다름에—올러스리—女權의 무대 우로—
(이 글을 삼가 P·A·S·I께 드립니다)
- 一九二八、五、一 龍井을 떠나며

『민성보』, 1928.6.14.

P·A·S 편

流浪人

다 낡은 포댁이로 어린 아희 싸서 업고
하발령 긴 허리를 쉬여넘는 호레미는
가다가 길 소삽한 지 각금 발을 멈추네

헤여진 호인옷에 보따리 메인 채로
것다가 쉬이다가 실음업서 하는 양이
한 깁흔 나그내인 듯 태만 봐도 알겟네

뫼우에 비친 달이 재로 넘어 지려할제
하발령 넘는 길손 느린 거름 재여지나
달지워 길 소삽하매 도로 느러 지오라
- 四二六一、六、二一 舊稿에서

『민성보』, 1928.6.30.

『북향』[10](北鄕) 편

10 『북향』지는 1930년대 초 중국 용정에서 조직된 문학단체인 "북향회(北鄕會)"에서 발간한 문학잡지이다. 1933년 11월 용정 광명학원 사범과의 교원인 이주복 등의 주선과 당시 용정에 거주하고 있던 강경애 등 작가들의 지지하에 정식으로 발족되었다. "북향회(北鄕會)"가 설립된 후 2년 동안 『북향』지는 등사본으로 2기를 내고 1935년부터 정식으로 활자인쇄본을 간행하였는데 창간호는 이미 유실되어 목록밖에 볼 수 없으며 1936년 8월 제4호를 내고 정간되었지만 등단한 작가들만 해도 40명이 되고 게재된 소설 10편, 시가 50수, 수필 9편, 평론 6편이 된다. 본 문학총서에는 편찬자가 가지고 있는 『북향』지에 게재된 시가만 수록해 넣었다. 동요와 번역시는 제외하였다.

강경애(姜敬愛) 편

이 땅의 봄[11]

지금은 봄이라 해도
만물이 소생하는 봄이라 해도
이 땅에는 봄인 줄 모르네 모르네

안개비 오네 앞산 밑에 풀이 파랬소
이 비에 조싹이 한 치 자라고
논둑까지 빗물이 가득하련만

아아 밭갈이 못했소
논갈이 못했소
흙 한 줌 내 손에 못 쥐어 봤소.

『북향』, 1935.10.

---

11 이 시가 실린 문학 동인지 『북향』 창간호(1935.10)은 발굴되지 못했지만 『조선문단』 1935년 12월호 70면에 실린 『북향』 창간호 광고에서 제목을 확인할 수 있다.(이상경, 『강경애전집』, 소명출판, 1999)

斷想

눈은 옵니다
함박눈은 소리 없이
나려옵니다

님께서 마즈막으로 떠나시며
나에게 하시든 말슴
오늘이 몃칠인가요
동지달에도 스므나흐레……

반밤에 나는 남몰래 일어나
머리를 풀어 헤친 채
왼뜰을 해매이었읍니다
님께서 이리도 차고 매우시매
이 눈길을 떠나신가 합니다。

그러고 두 번 다시는
도라오시지 못할 길이오매
이 밤이 새도록

눈이 나리는가 합니다

눈은 옵니다
함박눈은 소리 없이
나려옵니다。
　　十一月廿四日 밤중에

『북향』, 제2호, 1936.1.10.

김규은(金圭銀) 편

放浪吟草

病床

알아 누워
사흘 되니
주인이
죽을가 싫어하네

이—속이
바늘 구녁 같은 친구여
내 자네 방 신세
아니 지네

죽게 되면
산에나 들에 가
내 무덤 내 파고
드러눕는다네
(元山客舍에서)

가는 길

내 가는 길
바쁠 것 업스니
거드러거리잣구나

汽車는 왜 타
걸어가지
걸어는 또 왜 갈 것가
어디 大路 행길 복판에
펄석 주저앉아 보잣구나
(安邊途中에서)

山길

여기가 어디냐
둘러보니
樹海萬頃이로구나

이런데서
내가 죽으면
白骨도 못 찾겟네

두어라
내 아무데서 죽으면
白骨을 찾아줄이 잇더냐

靑山에 해 저므는데
갈 길이나 어서 걸어라
어느 주막집 마누라
두벌 저녁이나 아니 짓게

(通川山中에서)

[이 센치한 노래를 내가 항상 그리워하는 間島에 계신 韓獨出詞伯에게 드림]

『북향』, 제2호, 1936.1.10.

김병기(金炳基) 편

그리운 故鄕

그립고도 정다운 나의 고향은
멀리멀리 보아도 끝이 없고요
저 하늘에 구름송이 바라다보니
그리운 고향 생각 도더남니다

그립고도 정다운 나의 고향은
바다철이 산철이 아득도 하네
아름다운 무궁화가 피엿을 것이
아물아물 눈앞에 어리움니다

『북향』, 제2호, 1936.1.10.

김유훈(金裕勳) 편

잠든 바다

또한 이 바다는 잠들어 버렷구려
가는 듯 오는 듯 키 잃은 배 여러시
마음 놓고 한가로이 조으는데-

왼누리를 휘ㅂ쓸어 삼킬 듯이
분개와 정열에 끔직이 뒤끌으며
創造를 위한 마음이라서 새날만 밝으라드니
지금은 새벽! 동켜ㄴ 하날이 붉게 붉게
타오르는데 힘 잃은 체 잠들어 바린 이 바다는
오히려 蘇生의 曲調좇아 朦朧하구려

創造의 機運은 뵈지도 안나
蘇生의 길은 꿈에도 없나
먹다 남은 수박겁질과도 같이
아모런 빛 없이 넋 좇아 히미한 이 바다여!
새날이 빩어서도 永遠한 沈黙에 잠기려는고

아직도 모래언덕에는
狂亂한 파도의 랑적만 宛然히 남기고
또한 이 바다는 잠들어 버렷구려!

『북향』, 제2권 제3호, 1936.8.1.

몽인(夢人) 편

夜半의 鐘소래

고요한 밤!

沈黙은 온 宇宙에 가득 찻다

사람들은 피곤한 몸 끌고

꿈나라로……!

멀니서 寂寞을 깻치고 처량하게도

울여오는 夜半의 鐘소래

머나먼 他鄕에 외로운 客을

더욱이도 설게 한담니다

一九三五、一〇、三〇

『북향』, 제2호, 1936.1.10.

박계주(朴啓周) 편

엿장사

-『후추약염에 밤엿들 사시요』-

겨울의 달밤은 길고도 고요한데
街頭에 울려지는 소리 길-게 하날을 짼다。
눈보래는 날선 칼날을 더지면서 휘ㄱ-휘ㄱ-
그것이 처마 끝에 부듸치자
문풍지 떠는 소리 푸르르르

밤은 깊어 열두 시를 넘어간다
별도 추어 떨고 洞口 밖에 白楊나무도 추워 떨고 잇스니
이 한밤에 달빛도 춥길래 눈 우에서 대굴대굴 구으는 게지。

엿사구려 가위에 달빛이 절커ㄱ-절커ㄱ-
힘없이 떨리는 그 소리 九天에 사모침이여
來日의 죽 한 그릇도 이 밤의 勞苦에 잇건만。

차듸찬 달을 우러러 焦燥히 섯던 그의 눈瞳子에
妻子의 우름소리 기여들 제

그 刹那의 한숨은 地心을 푸ㄱ-푸ㄱ- 찌른다。

-(西京·大同江畔에서)-

『북향』, 1936.3.27.

박독명(朴獨鳴) 편

팽이

땅을 차고 돌아가는 팽이
無心히 직히고 잇는
빛나는 눈동자-

나에게도 저가치
팽이를 돌리든 시절이 있었을 터인데……

돌아가는 五色은
아다운 무지개엿든가
나의 눈에서는 눈물이 말으려 한다。

『북향』, 1936.3.27.

旅愁

고요한 모래벌을 노름터삼아
바다의 노래를 들으며 자란
나룻가 處女의 出嫁라오。

바다ㅅ바람은 사나워도
모래ㅅ가에 꽃이 피든
귀여운 處女의 사랑이라오。

들오는 배 바라보며 가슴을 뛰이다
떠나는 배 바라보며 눈물 뿌렷슬
나룻가 處女의 出嫁라오。

떠도는 갈매기도 노래하는
이 땅의 깃븜을 웨 몰으고
바다의 길손을 울며 가오。

『북향』, 제2권 제3호, 1936.8.1.

박종훈(朴宗勳) 편

詩調三章

(一)

두 돌 된 北鄕兒가
엄마 엄마 불러더니
한 거름 내드디자
문밖으로 뛰처나네
아마도 세네 살 되면
세계 一週하오리

(二)

北鄕兒 잘 크소서
탈이 없이 자라소서
그 거름 간 곧마다
큰 光明을 놓으리라
길 찾는 저 무리에게
앞잽이가 되오리

(三)

어린 님이언만
뛰여가는 근력 있고

안 배운 님이로되
낳어 아는 天才시라
千秋에 스승이 되실
北鄕兒가 되오리
一九三五、一、二二

『북향』, 1936.3.27.

박휘(朴暉) 편

꿈

시들픈 이 꿈이 깨이는 그날
未知數의 꿈같은 그곧 花園에
내가 찾고 찾든 그 님의 꿈은
亦是나 가없는 꿈이 않일지?
그래도 방금 나는 꿈을 꾸는 건!
꿈속에 또 꾸는 어린 내 꿈아

『북향』, 제2호, 1936.1.10.

牧者의 노래

직켜오든 牧場이 문허젓읍니다
길러오든 羊들이 다러낫읍니다

푸른 牧場 좁으나마 우리의 동산
꽃핀 아츰 달밝은 밤 어린 羊들이
맑은 曲調 한가히 들너줄 때면
나도 함께 曲調 맞여 피리 불었오

애 기르든 羊들은 낫치 설다고
열일곱 자란 마음 수집어하니
것츠러진 礎石 우에 넋없이 앉어
옛노래를 찾어보는 牧者의 마음

허무러짐 牧場이 그립읍습니다
쓸쓸한 쓱대풀만 우북합니다
一九三四、三、二九 舊稿

『북향』, 제2권 제3호, 1936.8.1.

신상보(申尙寶) 편

短詩三章

A 過去

펄넉이는 가슴 우에 손을 가만이 대고

지나간 꿈같은 닢에 追憶을 더듬다

너머도 더럽고

미웟든 내 잘못에

두 주먹을 쥐고서 혼자 울기만 햇오

B 現在

나는 나뿐인 「내」가 안임을 알았오

지나간 잘못을 뇌우첫슬 때에

C 未來

씨를 뿌리고 잘 각구면

갑잇는 收穫이 잇다고 보겟지요

『북향』, 제2권 제3호, 1936.8.1.

안영균(安永均) 편

春宵秋雨

절반 꿈 잠 절반에 어수선히 눈 부비니
아직도 窓밖게 비소리가 怨妄스러라
음산한 기-ㄴ 장마 어이해 쉬일 줄 잊엇나
南北에 피뿌린 殘忍한 風塵을
하날도 無心 못해 싯처볼가 함인가

잠든 밤 지절대는 구즌비 소리를
끝없이 쪼차가는 나의 煩惱여-
한해 전 이때 큰 바람(希望)을 등에 지고
이 땅을 디딘 뒤 春光도 발서 두 번이러라

체밖휘를 돌다돌다 물거품 되는 人生!
빈손 들고와 빈손으로 간다거늘
내 무엇을 바라서 이 땅을 밟어 왓는가

내 오래인 때 알튼 몸 山寺에 부칫을 때
伽藍의 暮鐘에 어울녀 들니든

「生也一片浮雲起。死也一片浮雲滅」이
이 無常한 몸 두고 說法함이 안니런가

때도 無心코 世間도 無情커든
나의 큰 뜻을 기다리는 곳조차 없으니
이 모냥 塵土된 뒤라 자취조차 있으랴만
내 心으로! 情으로! 새 곳을 그렷나니!

(舊稿에서)

『북향』, 1936.3.27.

원장희(元長喜) 편

渤海녯터

當年은 國威를

떨치던 宏壯한 建物들이

櫛比햇을 터인데-

只今에는 깸나무만 茂盛하구나

國威도 建物도 없는

廢墟에서

遊客이 하늘 처다보며!

큰 우슴 우섯소!-

『북향』, 1936.3.27.

윤정숙(尹貞淑) 편

봄

앞들에 종달새 비비삐삐
뒤ㅅ동산 뻑국이 뻑국뻑국
엽집 농부 소 끌고 밧가리 가니
에헤라 봄이로구나 새살림이로구나

노랑나븨 힌 나븨 쌍을 맞으니
여기저기 꽃을 찾어 날어단니니
어린애들 그 뒤로 찾어가누나
에헤라 봄이로구나 평화로구나

『북향』, 제2호, 1936.1.10.

이영원(李影園) 편

出帆

말업는 풀은 하날
발광을 칠 듯한 흰 구름
철석대는 물결
떠나가는 그대의 음성
나는 웨 이리도 서러운가

나의 모든 생명을
빼아서 갈야는 그대
그럿컷만
원성 하나 없이
서러움을 금치 못하네

인생의 형체가
풀은 바다면은
움즉이지 안는 그것이라면
인조인간 이면은
이럿치는 안으리

그러나 불동물(不動物)도 안이고

인조인간도 안인

탈을 쓴 인간의 하나

내 수시로 인간의

직책을 파괴하기 바라느니

그러하면은

서름도 깁붐도

떠나가는 그대로

서러워하는 이 맘도

베풀지는 안으리

一九三五、九、二一 浦口에서

『북향』, 제2호, 1936.1.10.

이정원(李廷源) 편

길손의 노래

때 무든 수건으로 머리를 질끈 매고
낫모를 길손 되여 거름을 옴길 때
기우러진 초생달빛에 내 맘 더욱 앞어라

끈어진 신총마다 모래가 백엿스니
가슴에 온갓 쓰림 없을 이 없으리라
아른대는 나무 그늘에 내 맘조차 살안타

끌고 온 집팽이가 가는 길 알 것이매
오로지 내 맥박도 그에게 맷겨볼가
기여드는 밤바람 결에 그가 다시 그리워라
　一九三五年八月十日

『북향』, 제2호, 1936.1.10.

이홍석(李洪錫) 편

失題

검은 빛 帳幕은 마음의 舞臺를 化粧하고
焦燥와 煩悶으로
修羅化한 心臟은 限없이
괴로워 합니다。

灰色빛 現實을 咀呪하는 마음의 鬪士는
永遠한 夢想의 使徒가 되엿습니다
그대의 삶은 로브트라고……
無價値한 삶의 設計圖를 抛棄하라고……
神秘한 使徒는 傳道합니다。

照落된 希望 여위ㄴ 靈 敗殘한 歷史의 所有者
放浪의 나그네는 오늘도 婆婆의 寢床에서
眞理의 試驗管을
골으다 힘지쳐 누었읍니다
그의 얼골은 점점 蒼白하야 집니다。
-一九三六. 一. 十一

『북향』, 1936.3.27.

집씨—의 哀傷

月光은 滿乾坤한대
집 없는 露宿者 放浪에 拘束된
힘없는 다리를 끌고
疲勞한 感情을 집씨—의 行程에서
부스러진 넷꿈을 찾을녀 하는 이 밤!

曠野를 모라치는 찬 바람과
어린 아해의 悲鳴에 꿈조차 깨여진 안해는
하로의 安息을 求할 作定인가?
그의 視線은 圓周形地平線으로 迷徨한다
망망한 눈바다에는 稀微한 등불조차 찾을 수 없고
안해의 落望과 悲哀에 치여 속절없이 깊어가는
밤이여!
휘몰아치는 北風에 놀내여
激烈히 疾走하는 流星하나 그 어느 땅에
險惡한 運命 새로히 이루랴냐 이 밤!
그의 悲劇의 最後를 哭해주는 者 없구나
沈痛한 이 밤이여!

灰靑色 한울 뚤고 흐르는 銀河水까에는
령롱한 별들이 녹쓴 現實의 銅像을 呪咀하고
부서진 꿈쪼각에 故鄕 그리는 나그내의 嘆息
집씨—의 悲哀를 하소할 때 없는
아아 異域의 無想한 눈밤이여!

- 一九三六、一、一三

『북향』, 제2권 제3호, 1936.8.1.

전희곤(全喜坤) 편

生의 蠶食

누에가 뽕을 파 먹듯이
나는『삶』을 파 먹는
人生의 누에다。
不休의 싸움에 짓치운
간엷은 몸을 끌-고
그래도 설마 오늘이야 하고
속어 왓나니
발은 航行을 도맡은 치가
 生의 激浪에 불어젓다。
거츠른 물결이
그우를 겹겹이 덥처씨웟다。
굵은 팔뚝이 가늘어지고
强한 意識이 몽롱해가는
그 刹那붙어다。
나는『삶』의 바다에 깊이 빠져
그를 파먹고 배를 채우는
『삶』의 蠶食을 시작했다。

一九三六、一、二一、

『북향』, 1936.3.27.

정재홍(鄭載洪) 편

여름저녁

해 지니 電燈불이 뒤를 이엇네
工場의 汽笛소리 오늘을 作別하니
먼지 속에서
피땀을 짜내던 勞動者들도
비인 벤도 허리에 띄고
집으로 집으로 도라간다

終日토록 뜨거운 해ㅅ빛 머리에 이고
구슬땀을 흘니든 村아가씨네도
팔려단인다
신발을 버서들고
急하게 발길을 옴겨가네

품싹에 팔이워 날맞도록 일하든 洋服쟁이!
將來希望에 날뛰는 男女學生들!
失戀을 당하고 悲觀하는 者!
그리고 虛榮에 날뛰는 倦怠軍!

鴉片쟁이
料理집 앞 등불 밑에서 시들어가는 카페껄!
모도가 노을빛 찬란한
이 저녁의 舞台로 나타난다
都會의 여름저녁의 前奏曲이여!!

一九三四. 六. 一四

『북향』, 1936.3.27.

가을

한 자 두 자 글 쓰듯이 흐르는 타임-
구슬픈 귀뚜리소리
門틈을 새여오고
바람소리 우스스 가지에 우네。

뜰 앞에 봉선화 떠러지고
들국화만 요염하게

고개를 한들한들
믿음이 없는 이 世上에
그 누구를 반기는가?

달 뜨자 기러기떼 고향 차저 날고
찬 이슬 나린 풀밭에는
自然에 交響樂隊 그 무엇을 노래하나!
제멋에 흥겨운 귀뚜리소래만 구슯히……
- 一九三五、九、七 作

『북향』, 제2권 제3호, 1936.8.1.

조수영(趙水影) 편

광야에 부는 바람

曠漠한 들! 行人의 자최 없고
하늘가 싸고도는 구름을 뚫우며
나의 視野를 버서 날려가는 독수리!
발 밑에 가로 끈 江 波聲만 높어
흘흐는 始終을 알바가 없고
해빛조차 못 잣는 이 들에
다만 외롭고 사납기도 하다
千里길 닥처드는 바람떼여!

아! 限없는 曠野에 슬 적마다
狂舞의 醉客! 저 바람은 비틀거리며
「大自然의 生命 짧은 人生」이
무엇인지 아느냐?!고
날로 擴張하는 人間現場에서
凄然히 逆境을 헛치고
深刻한 싸홈을 하는 者잇되
聲帶를 높여 실없이

넛털우슴만 웃는 바람떼
나의 呼吸만 드려 마이고 슬적
永遠不現의 地平線 저쪽으로……!

오! 限없은 이 曠野를
비-ㅇ 둘려싼 地平線 좇아
只今 하늘과 니마를 마조대고
悪評을 吐露컨만
「젊은의 幻想」을 냅다 흔들며
亂舞를 거듭하는 不滅者!
空間의 秘密을 가득 걸머지고
創造以來唯一한 歷史家인
「바람」은 부오!
曠野를 들성거리면서……!
　一九三五·一〇

『북향』, 제2호, 1936.1.10.

천청송(千靑松) 편

꿈 아닌 꿈

고요한 밤
날러드는 시산한 꿈길—
히-얀 이 손으로
흙 무든 그 손길을 잡고
안놓기를 맹서하였드니만……
때 아닌 모진 추위에
그 손길을 놓시리라고야!
차라리 그 손을 잡은 채
이 손길이 얼엇든들
불타는 이 마음
풋연기는 피우지 않엇을 것을—
차디찬 이 손
그 손 찾어 헤매는 이 손엔
빈 허궁만이 만저질 뿐……
덧없는 꿈 아닌 꿈
이같은 꿈이 우리에게 그 얼마나 많은가?
- 一九三六. 二

『북향』, 1936.3.27.

우숨의 哲學

깃불 때의 우슴—

슲을 때의 우름—

이는 흔히 볼 수 잇는 우슴과 우름。

깃뻐도 못 웃고 슲어도 못 울 때

울기에는 너무 처참해 웃게 되는……

웃기에는 너무 깃거워 울게 되는……

고민 끝에 미치는 사나희 우슴!

멀니 떠나있든 아들의 돌아옴을

반기는 어머니의 우름—

이 우슴—우름이 슲을 때의 우슴

깃블 때의 우름이 아닐가?

울기에는 지나치는 비극

웃기에는 지나치는 히극

히극—비극 역시 주인공은 사람。

깃블 때의—우슴 슯을 때의 우름
그 우슴 그 우름보담
비참할 때의 우슴—
이 우슴이 우름다운 우슴이 아닐가?
깃블 때의 우름—
이 우름이 우슴다운 우름이 아닐가?

우름 속에 숨은 우슴
우슴 속에 감춘 우름
우슴—우름의 참뜻은 여기에서만……

깃거울 때의 우슴 슯을 때의 우슴—
슯을 때의 우슴 깃블 때의 우름—
사람은 깃블 때—슯을 때
우러야 하는가 우서야 하는가?

깃블 때의 우슴 슯을 때의 울음만이
우슴—우름이 아니고
슯을 때에도 우슴은 잇고
깃블 때에도 우름은 잇어……

깃블 때의 우슴—슯을 때의 우슴
슯을 때의 우름—깃블 때의 우름
우슴—우슴 우름—우름

말은 같으나 그—거리는 머—ㄹ고도 멀어

우서야 할 때 웃고 우러야 할 때 우는
그 사람들은 오히려 행복일지도 몰나
웃지도 울지도 못하는 그들 보담……

불행한 중에도 더 불행한 사람들
우리는 웃지도 울지도 못하는
아니 우슴도 우름도 잃은 사람들……

악착한 현실 앞에 몸부림
키 잃은 사공의 눈길—
어둠 속에 빛그리는 마음—
우리는 키 잃은 사공 빛그리는 사람들……

웃기에는 너무나 깃브고
울기에는 너무나 슲은……
하도 깃브고 슲으면
웃지도 울지도 못하는 것이다.

이 밖에도 웃지도 울지도 못할 일
깃브긴 하나 슲으기도 한때……
슲으긴 하나 깃브기도 한때……

깃블 때의 우슴 슯을 때의 우름—
슯을 때의 우슴 깃블 때의 우름
—깃브나 슯으나 못 웃고 못 우는 때
깃버도 우숨 슯어도 우슴—
슯어도 우름 깃버도 우름!
웃는 사람과 우는 사람이 밟어야 할 길……

깃버도 웃고 슯어도 웃는 이
슯어도 웃고 깃버도 우는 이
그들의 삶은 한가지 괴도를 글느는 수레

깃븜 슯음을 우슴으로 나타냄과
깃븜 슯음을 우름으로 나타내는
그 삶과 삶의 무게는 어느 쪽이……

너무 깃버 울기보다
너무 슯어 웃는 사실을 많이 가진 우리
우리는 웃을 수밖에 없는 무리거든……
우슴 우름을 달어보기 전에—

슯으나 깃브나 우는 것보다
깃브나 슯으나 웃는 것이
삶을 바로 사는 사람이가 부냐?

우름으로 사러야 할 우리—
그렇다고 우리는 울어 살어야 하는가?
보다도 울데 울지 않고 우슴이
그 얼마나 무게 있는 우슴이리요—

그렇다 우리는 웃자
울지 못해 웃는 우리들의 우슴
그 우슴 속에 숨은 화살
원한에 무리들 쏘아 떠러트릴……

한밤에 잠 못 자고 이러앉어
지나온 일 들처보니
깃버도 슲어도 우서온 나……
(다른이의 눈에는 한낫 및인 놈)

슲음의 고개도 못 넘은 나
아희면서도 아희를 낳은 아희
나희는 어리나 마음은 늙은 나
재주 없는 일을 하려 덤비는 나
울지 못해 웃는 나의 우슴

우슴—
깃버도 슲어도 우슴
(및이광이의 우름이래도 좋다)

없어서는 안 될 우리의 반려엿든가?

오! 인생의 우슴아!

一九三六、四、一五

『북향』, 제2권 제3호, 1936.8.1.

최봉록(崔奉錄) 편

思鄕

故鄕!
나의 故鄕은!
나는 이같이 목 메어 부른다오
그러나 故鄕은 對答좇차 없구려

이때나 저때나
故鄕消息 있을가 기달여도
기럭이 소래좇차 안 들이나니
오! 우리는 永遠히 故鄕을 등저야 하는가!!

『북향』, 제2호, 1936.1.10.

최순원(崔順源) 편

無題吟

선지피 흐르는 소갈비를 뜨더 먹그며
맛있다고 춤추는 사람들이여
이리(狽)의 行動을 殘忍타 마오。
외나무 다리에서
물고 뜻는 사람들이여
소다려 미런타 마오。

『북향』, 제2권 제3호, 1936.8.1.

최영한(崔榮翰) 편

詩三首

1. 路傍草

길가에 한 뿌리 無名花여
너도 造化의 손에 자라낫건만

人馬의 발굽에 수레의 밖휘에

짓치우는 運命은 누가 주엇늬

2. 땅 파는 사람

분하고 분하여 광이를 메고 옛 터전으로 내달앗소
先人의 땀 흘리든 땅이라도 힘끝 파나본다구

분김에 파노라고 광이자루 붓질엇소
남의 땅을 판다고 님자에게 욕먹엇소

그래도 나는 『이 江山 땅 파는 사람이 되리라』
맹세햇다우

3. 運命의 열쇠

이 門을 열려고 몃 백 번이나 두다려 보앗겟소
秘密을 감춘 門이니만치 좀만해 열릴가 보오

이 門을 이다지 두다려도 웨 당신은 대답지 아니우
門을 두다리며 당신을 불으는 소리가 들리지 안소
내 가슴이 울리우게 들리오만은
運命의 열쇠는 그쪽에 잇스니
-舊稿에서-

『북향』, 제2호, 1936.1.10.

최제일(崔齊一) 편

失題[12]

時間의 여윈 呼吸 액꾸지들리여
물 들인 닙새에 地平線을 짓밟고
이 해도 마저 가려 한다

地軸을 께안고
沈黙을 保守하든 太陽 아래 異端者인
指向 없시 떠도든 者
어머니 乳房같은 한 줄기 希望을 안고
山野를 날뛰든 즘생의
붉은 熱情에 타는 心思를 너는 記憶하리니……

(以下 判讀 不可)

『북향』, 1936.3.27.

---

12 이 시는 모두 4개 연으로 되어 있지만 나머지 2연은 판독불가하기 때문에 이 총서에서는 2개 연만 수록했다.

한고영(韓孤影) 편

神과 惡魔
-罪의 갑슨 죽엄이다-

惡魔를 呪咀하는 神!
神을 두려워 하며
賣淫女는-
父母 없는 少女같이
自由로이 철없는 作亂을 조와하는
조고만 惡魔를 사랑한다

天使의 고흔 사랑보다도
賣淫女의 眞實한 사랑을
나는 바란다
나는-罪人은 善人을 사랑하는 神을
믿기보담도 惡魔를 사랑하는
賣淫女의 眞實한 사랑을 믿고 십다

『북향』, 제2호, 1936.1.10.

한종섭(韓宗燮) 편

放浪者의 노래

호통하는 겨울날세 차고도 매워
살얼고 빼저려 핏줄은 떨니여도
생각만은 곧곧해 아푼 달이 옴긴 다오

마음 깊히 사모친 우리님을 내 찾나니
눈보래가 뺨을 친들 눈 한번 깜박하며
삽살개가 짓거린들 그소리를 귀다듬으랴!

님 게신 곧 멀고 멀어 이날 해가 저물면
박정한 인가에는 헌 옷 입고 못들망정
산빗탈 돌벼개야 마음 노코 못 베리!
- 一九三五、十一、十一

『북향』, 제2권 제3호, 1936.8.1.

허원혁(許元赫) 편

失題

나는 마돈나를 사랑한다
純眞한 마돈나를 사랑한다
虛僞의 비단옷을 감은 妖女들이여
빨이 내 靈의 聖殿을 물어서 가거라。

입으로는 眞實을 부르지즈며
마음은 줄곳 虛僞에 사로잡히노니
罪惡의 큰 矛盾에서 허우적이는
더러운 이 몸을 이 마음을

나는 蠻人이다-反抗兒이니
싯뻙언 피가 끌어얼은다
독갑이 작란이 擾亂한 이 땅에
싯뻙언 이 피를 뿌려주시오.

그러면 울어라 -大地를 두다리면서
暗黑의 大地를 두다리면서-

光明의 太陽이 빛날 때까지
蠻人의 聖歌가 울닐 때까지

보아라-勇者의 가슴에는
排戰하는 몃친가 가로 뛰느니
너이들 夜影에 춤추는 惡魔들아
빨이 내 靈의 聖殿을 물어가거라

『북향』, 제2권 제3호, 1936.8.1.

환원(桓園) 편

허무러가는 옛집아

허무러저 가는 옛집아
모진 바람비를 못 니기여 부서진 기와-
지나간 哀史를 追憶하는 나의 마음!
오! 主人은 어대로 가섯나이가?。

城들은 문어진데 나무는 몇 百年이나 자랏는냐?
가을은 찾어왓네 물들어가는 나무닢은
黃金과 權力의 옛날을 슬퍼하는 듯이 바람도 없는데
한 닢 두 닢 떨어지네 옛 터전에

庭園에 지반이나 허무러진 塔에는
담장덩굴이 마음대로 얽히고
그 숩에서 벌레들이 슲으다 우네
일흠 몰을 들꽃은 비웃는 듯이 피고 잇네

중둥이 절반이나 꺽어진 碑石들은
잇기(苔)가 팔아케 끼어서

戰爭뒤에 壯士의 죽엄처름 쓰러젓는데
저녁 노을만이 슬어웁게 빛이고 잇네
一九二九、一〇 어느 古城址에서

『북향』, 제2권 제3호, 1936.8.1.

W.C.H 편

神秘의 域

萬古의 神秘는 啓示되다
恍惚한 地境에서
어리둥정 한나절 精神 몰차렷섯노라!

瞬息間의 幻境에 들엇다가
어느새-에 나왓는지 모르는 永遠한 神秘이다
나는 引導者가 끄는 대로
神秘를 구경하엿다

明朗함이여! 淸楚하다
아-깃거워서 깃거워서 깃거워서!
神秘 앞에서 입버려 히ㅅ쭈ㄱ 웃지 안엇겟소?
神秘의 域에서 ---

『북향』, 제2권 제3호, 1936.8.1.

애달븐 나의 가슴

눈물에 사모친 나의 가슴 저-사막같이
고요한 그음밤! 고달픈 나의 영
사막은 나를 부르는고나

어둠에 장막이 막을 나리니 눈물에 저즌 나의 뺨!
따뜻한 사랑으로 동정하여 줄 사람조차 업다

사막같이 시산한 이 땅 은은히 들니는 인생의 발자최
설고 더욱 서러운 눈물의 하소연은 어찌하랴

행복을 찻는 인생아! 죄악이 가득찬 이 세상
그 속에서 진리를 찻지 말고 네 마음 속 깊이 잠든
진리를 차저보럼

『북향』, 제2호, 1936.1.10.

『만몽일보』[13](滿蒙日報) 편

13 『만몽일보』는 1933년 8월 25일 신경(新京, 지금의 중국 장춘)에서 창간되었던 일간지 신문이며 『만선일보』의 전신이다. 그때의 사장은 이경재(李庚在)였으며 편집국장은 김동만(金東晩)이었다. 1936년 『간도일보』를 매수 통합하였으며 1937년 10월에는 제호를 『만선일보』로 바꾸었다. 대부분 신문은 이미 유실되고 현재 우리가 찾아볼 수 있는 신문은 1937년 7월의 10여 장밖에 없다.

김동가(金東嘉) 편

無題

가고 또 가고 또 다시 가도
끝업는 이 길을 어이 다 가랴
바람이 이러나 비가 나리려나
한 쪼각 구름만이 내 맘을 감도오

가업시 꿈ㅅ길에서 헤매는 그들
한나제 잠꼬대 들리지 안우
눈 뜨고 자는 이 幸여나 깨울까?
악을 쓰고 소리쳐도 코만 고는그려

틔ㅅ글만도 못한 人生이라 하오만
그러나 가고 또 가고 또 다시 가노라면
現世를 解脫한 理想鄕이
疲困한 우리 손에 일우어지지 안흐리까?

『만몽일보』, 1937.7.11.

소성(蘇星) 편

水邊情趣

바람이 春情을 이르키고
나무이피 春心을 싹 트게 한다
꼬츤 지고
입 고흔 時節!
물결 우에 떠도는 고요한 心情
흘으는 시내물은 바다로 가고
날려는 내 마음의 가는 곳이 어디이냐?

버들입 느러져서 바람이 히롱하고
물 우에 핀 水仙花 아양을 피운다
물결이 아름답게 보이고
물이 그리운 時節!
여름 하늘이 보내는 心情
어린 꿈의 幸福은 시골집 산넘에서 보이엇고
나의 지금의 多恨한 꿈은 또 어재서 찻나?

湖水 우 흘으는 春心은

다시 들은 나의 마음의 珠玉!
누구가 물결 우에 眞珠의 배를 뛰우지 안나?
春心은 水心을 부르려고
흘으는 물결마자 내 마음을 흘으게 하누나

『만몽일보』, 1937.7.5.

自嘲吟

A

人絹이 이 나라에 輸入해 들어온 후

公娼, 私娼, 密娼들이

네거리 우에 찻구나

다사롭는 나라! 이 東方禮義之國에……

하나님이여! 이 偉大한 科學 우에

聖스러운 天國에 榮光 잇게 열려주십소서

B

主義的文化가 이 땅 우에 感染된 후

朝三暮四的 英雄이 演壇 우에 밀리엇구나

高句麗의 나라! 이 忠臣孝女之國에……

하나님이여! 이 영리스러운 知性 우에

아름다운 『유토피아』가 보기 조케

建設되소서

C

人絹 속에 싸인 네거리 우에 단 한

사람의 배옷이 그립소이다
主義的文化가 넘치는 演壇 우에
단 한 사람의 붉은 피가 보고 십소이다
하나님이여! 쫓겨낸 『아담』, 『이브』의
永遠한 追放人들에게
하로 속히 『노아』 홍수를 내려 보내소서

『만몽일보』, 1937.7.14.

抒情海岸曲

1

지금은 午後 세 時 埠頭에서 내다보는 바다는 햇빗에 반작이어 눈이 부시게 살란하다

荷物의 檢査를 마치고 햇빗 쪼이는 埠頭에서 담배 한 대 피여 물고

『마도로스』의 醉한 노래가락과 날리는 白鶴의 부리와 虛空을 지나는

담배 연기의 가느다란 흐름과 바다물 우에서 빗치는 六月의 太陽과

함께 떠도는 흰 구름을 쳐다보는 나의 海岸의 이 한 시간은 이 生活에서 엇는 그지없는 기쁨의 한때이다.

2

生活의 浪漫을 생각고 떠나던

戀人의 얼굴을 머리에 그리고 이저버렷던 詩句의 한 쪼각을 입술 우에 떠돌게 하는 젊은 情熱도 이제 이 가슴속에 피여 나는 抒情의 뿌의한 독이다.

바다를 차저보는 마음은 하염업는 生活의 忘却을 아르켜주는 同時에 佛蘭西映畵演出者 『루네·구레―루』가 가진 生活의 가벼운 꿈을 내 마음에 들려주는 것 가트며 나의 정스러운 눈섭 우의 幻想 속엔 六月의 巴里! 샛파란 『마로인에』의 新綠이 욱어진 거리! 갑작이 쏘다지는 석양때의 ○出! 내달리는 길 우에서 偶然히 부디치는 젊은 女人과 사나히! 놀래서 쳐다보는 두 젊

은 눈과 눈이 마음도 물으게 우슴지어 한 쪽이 『랭코─트』에 서로서로의 實存에 싸이여 元氣 잇게 달리면서 能動하는 두 젊은 肢能! 여기에 生活의 喜悅을 그리며 인생의 야릇 情緖를 색인 『구레─루』의 그 理智的인 『두로컬』이 나타난다。

3

바다 우에서 午睡를 하고 십다。深海의 魚類에게서 바다의 秘密을 뭇고 십다。

아아 그리고 아름다운 地中海의 人魚들에게 『세레나─테』도 뭇고 십다。

이때 夜洋의 航海길을 떠나 船의 一汽笛소리도 나에겐 世紀와 時代의 一千夜話를 마음것 그리게 하며

『로스엔젤스』의 香氣 노픈 『오렌지』와 伊太利의 『마가로니』의 味覺에

나의 經驗을 자극시킨다。바다의 六月의 風景!

『만몽일보』, 1937.7.20.

海情哀愁

1

埠頭에서 눈물 지우는
분홍빗 색치마의 港口의 시악씨여!
방울방울 흘리는 눈물을 고히 씨스소서
어제 밤 가슴태우던 그 소년 나그네길은
지금쯤은 千里길 萬里길
등불 비최는 이 거리와 綠港口를 지나 떠갓스려나
『테—푸』가 끄너지는 날! 그이의
마음도 함께 끄너젓스려니……

2

바다물결은 얄미운 心情
해저므는 埠頭는 밋처진 거리!
어지러운 계절의 마음을 먼 鄕愁를 수놓고
잊허진 사나히의 이모저모의 얼굴모습을
가슴 속 기피 거듭 생각케 하거늘
열아홉의 색시마음까지 빼서간
그 나그내의 千里遠程이나 꼭 평안하소서

3

하로밤에 情은 계집의 마음이라 웃지 마소서

살어가는 세상이 하염업고 어지럽기 그지업기에

달래는 사나히의 마음에 눈물을 보앗고

술 醉해 우는 마음이 서럽기도 하여

헤여질 날과 만날 날이 期約도 바이없는데

바다ㅅ가의 시악씨의 마음이라 고히 밧첫나이다

『만몽일보』, 1937.7.27.

송민(松民) 편

하늘

하늘은 바다처럼 푸르다
구름은 섬처럼 쓸쓸하다
이제 얼마 안 잇서
우렁찬 배ㅅ沙工의 노래소리가
반갑게 들려오고
물에 잠긴 낡은 고기ㅅ배가
안개빗 돛을 달고
꿈처럼 울 것이다

아— 하늘
하늘은 바다보다 더 고요하고나
구름은 섬보다 더 외롭고나
이제 곳 붉은 노을에
어여쁜 갈매기가
노래하며 춤 추면서
저 푸른 하늘 바다로 미끄러질 것 갓다。

『만몽일보』, 1937.7.17.

故鄕

가야 할 내 고향을 실타 한들 안 가오리
千里길 멀다멀다 핑게한들 엇찌하리
十年이 다가도록 못간 것을 이제 한탄 하노라

고개를 넘어서며 땀방울을 씻고 쉬든
큰 고개 그 고개도 기차길이 낫겟것만
언제나 차저가보다 마음만이 타노라

갈랴고 들며는 못 갈 것도 아니렷만
웬일인지 고개 숙여 땅바닥만 나려보며
지난 날 그때 못한 것을 이제 후회하노라

『만몽일보』, 1937.7.23.

우중화(禹重華) 편

그늘 밋

다북한 잔듸 흔들리는
그늘미테…… 그 女人『愁城』은
오늘도 그 커다란『幅』느리고
故國의 自敍傳에 매저진
八白歲의 아득한 記憶을 불으고

인제는 忍耐의 城을 버리려는
나그네의 印象에 매어달려
울며 울며 헤매이거니

다북한 잔듸 흔들리는 그늘 밋
쪼그리고 쓰라림은
그 女人의 그 가슴을
고이고이 만지며
또한 그 쓰라린 자장가를 외워주다

한 고개 또 한 고개 넘고 넘어서

그 女人은 지금 샛노란
宇宙에서 헤매이리라
　— 故國愁城을 껴안고

『만몽일보』, 1937.7.16.

이석(李石) 편

港口宵

첫밤 불이 켜지고
힌 옷 입은 『마토로스』가 담배를 피어물 쩨
華艶히 化粧한 港口의 초저녁은
퍽도 수집어하오

풀긴 風船처럼
豊饒한 潤華 속의
蒼蒼히 순박의 꼿닙인 양
香그러히 우슴도 지어보고……
깨끗이 아양도 부려보고
—파란 騎士服에 쉬ㅅ바람이 알맞구나
싱글거리는 紅橘의 內汁처럼
매혹한 陶醉에 어리는 우슴

埠頭에 헤엄치는 살결 맑은 美○女
잠간 鄕愁에 잠기어도 보는 瞬間
『라듸오』는 毅然히 明日의 天氣를 豫測한다

다음날 港口의 개인 날씨여
葡萄 넝쿨 벗든 덥는 어둠 미테
붉은 ○○의 꽃봉오리는
○○붉은 듯 버러지고 버러지고……

『만몽일보』, 1937.7.27.

이욱(李旭) 편

無題[14]

冥想의 길을 더듬는 古歌
시달린 내 맘 조립니다
아롱진 봄꿈 깨기 전에

갈니페 찬서리 매치거니
푸른 湖水에 잠드는 님의 넉시여!
저달이 마음 알 것이로다。
피는 꼿도 서름이 잇고
지는 닙도 希望이 잇다。

오— 숨차게 달리는 내맘
애닯은 옛자최 차즘인지。

『만몽일보』, 1937.7.13.

---

14 李章琬이란 필명으로 발표했다.

함영기(咸永基) 편

제비

제비야
너는 故鄕이 江南이라고
꿈가튼 조용한 還鄕曲은
아름다운 情緖가 흐르는구나

제비야
나도 故鄕은 잇다
푸른 재 넘고 아득한 바다 건너
『동백꼿』 피는 동내란다
그녀도 두고 마음도 두고 왓다

제비야
내 故鄕 우리집
누추한 굴움집
지금은 누가 쑥 담배 태우고 잇을 게다

『만몽일보』, 1937.7.6.

『만선일보』[15](滿鮮日報) 편

15 『만선일보』의 전신은 『만몽일보』(1933.8.25. 창간)이다. 『만몽일보』는 1936년에 『간도일보』를 매수 통합하고 중국 동북지역에서 유일한 조선문신문이 되었다. 그후 1937년 10월 실업가 이용석(李容碩)이 새로 사장에 취임하면서 주식회사로 개편하고 1937년 10월 21일 제호를 『만선일보』로 바꾸었다. 주필은 염상섭이고 편집인은 박팔양이 맡았으며 모두 8면으로 발행했다. 1945년 8월 15일까지 발행했으며 현재 남아 있는 분량은 1939년 10월부터 1940년 12월까지 1년 여분과 1941년 1월부터 1942년 12월까지의 분량이다.

강상도(姜尙道) 편

비들기

一. 우리집 처마 미테 비둘기 한 썅

날만 새면 굵굵굵 사의 조케도

압마당에 포도동 날라와서는

갸웃갸웃 나란이 모이 찻지요

二. 우리집 처마 미테 비둘기 한 썅

정답게도 굵굵굵 노시드니만

웬일인지 한 마리 뵈이지 안코

홀로 남은 비둘기 눈물집니다

(大三家子协和國民校 三年)

『만선일보』, 1939.12.3.

강욱(姜旭) 편

樂譜를 가젓다

코스모스가치 神秘한 心臟이 燒盡한다
噴火된 峰과 峰은
흘러간 山脈처럼 힌 장미를 썻다
山脈을 따라 氣流가 汎濫한다
피라밋트 가튼 少年의 沈澱된 머리가 붉으다
나븨는 해바래기의 習性을 가젓다
어둠이 흐른다
帆船이 흐른다
飛沫 된 波濤 속에
少年의 택시 시—트가 젓는다
오솔길이 茂盛한 丘陵 우
渦卷되는 물결
기슬과 기슬 連結된 어느 鐵橋 우
少年은 樂譜를 쥐고 잇다
포푸라 가지에 가벼웁게 바다가 넘친다
天井이 문어지는 듯 宇宙가 넘친다
머구리처럼 무겁게 까란는 體臭

-1940년 7월 20일 끗

『만선일보』, 1940.8.25.

강택림(姜澤淋) 편

밤이 기플 때

汽笛의 고함과 개 짓는 소래 音波에 실려서 鼓膜을 두다릴 때
孤寂과 煩惱난 心琴을 끼는다

푸른 바다 우에 追憶의 물새 痛哭과 哄笑에
발마처 춤 추면서 구름 타고
바람에 불려
限업시 날려간다

流星 가튼 서른네 해의 歷史虛僞로 裝飾한 책장 넹길 적마다
방울방울 눈물이 글자 우에 빗발친다
썩은 落葉과 가티
부러진 過去
글거본들 무슨 所用이 잇스련만
이마에 찡글인 주름살 못내스러 하노라

『만선일보』, 1939.12.27.

長明燈

三年만에 한번씩 同志의 무덤을 차저
무덤 우에 흙을 고히려고 풀을 심고
봇다리의 책을 펴놋코 香을 피다

무덤을 직히는 孤獨한 碑石과 가티
무거움은 당신의
굿고 沈黙을 직힘은 당신의 信念인 듯하다

萬里異域 서른 땅 속이나
千萬年을 가도 당신의 偉業遺訓은
어둔 밤 長明燈과도 가티 빗나리니

黃骨이 榮光이라 다리를 고히 펴고
一生의 疲勞를 맑은 샘물에 시처
大地의 흐린 물을 맑게 하시라

=靜軒兄에게=

『만선일보』, 1940.1.22.

권녕화(權寧和) 편

倦怠

대장깐에서 뛰여오는
쇠뭉치 부디치는 느린 拍子
삐걱삐걱 거리를 굴느는
구루마 박귀굽소리
鈍重하고 措雜한 人間들의 지저거림

이 모도가 몃 千年을 經過한 傳說인 양
내게는 아무 關係도 업는 하나의 別世界
방안에 홀노
압발을 비비는 한 마리 파리에
無心한 생각을 보내며
까실까실한 코밋 수염을 쓰다듬는
午後-
피ㅅ줄조차 疲勞한 듯 느리게 꿈적이고
世紀의 暴風에 지친 머리는
뚜벅뚜벅 졸며 긴— 하품을
한 줄기 뽑아 내오

"汽笛"
鼓膜에 매어달린
길다란 線에
가지가지 懷抱가
오롱조롱 매어달니다
-於CHOA HO-

『만선일보』, 1940.4.23.

診察室風景

—蛟河××醫院에서-

오즉하나 醫師의 입만 처다보고

간신히 希望의 꼬리나마 만저볼야는

不安과 焦燥에 찌푸러진

오! 빗칠흔 저 眼光--

科學의 바탕에서 짜낸 冷酷한 宣言에

고라가는 四肢를 이끌고

힘업시 문턱을 넘는 그 어떤 未練에

千斤인 양 무거운 느러진 步調

……生---死……

가느다란 四號注射 하나

이 방안의 무거운 空氣를 모른다는 듯

알골에 몸을 잡근 채 沈黙하다

『만선일보』, 1940.5.7.

異國의 달

窓틈으로 새여넘는 異國의 달은
故鄕의 消息 실고 날 차저왓나
나날이 식어가는 내 가슴처럼
그 모양 쌀쌀하여 차기도 하다
도라갈 期約 업는 나그네 몸은
부질업는 생각인 줄 잘 알면서도
故鄕의 지난 날을 더듬으면서
외로히 달을 보고 한숨 지우오

十里가 百 번 모여 겨우 千리ㄴ데
내 故鄕 그 어딘가 半萬里 저편
銀河水 맑은 물에 나무ㅅ배 띄워
그리운 내 故鄕을 차저가볼가
-蛟河에서 舊稿抄-

『만선일보』, 1940.5.15.

극언(克彦) 편

돌

돌은 가슴속을 굴느며
뼉다귈 꺽고 빗엇다
아담스런 꽃인 양
너의 創造한다는 歡喜는
너의 등진 벽돌의 무게—
定礎 잡을 어는 땅이 너에게 잇다고 하야
거리에서 골목으로
골목에서 구렁으로
어는새 발은 化石이 되엿다드냐
너의 이마엔
紅脣의 印紙가 이미 부터선
너의 외박지는 구렁에는
물과 돌에 눌려 滅亡하는 門에는
꽃들이 무어라 아종질배냐
너는 가슴을 치며 울더라만
조흔
돌에 녹는 초꽃이엿다。

『만선일보』, 1940.8.18.

김경락(金京洛) 편

아침

누으런 해
그에 금빗나래로
잠든 마을 어두운 두던
차거운 강물을 죄—다 빗칠 때다
뒷창문이 열리고
힌 수염 난 할아버지 주름 잡힌 얼골이 나오고
양은 댓통이 햇볏테 번적거리는 아침
부억문이 열리고 어린 밋며누리에
잠 안 깬 더벅머리 얼골이 나오고
사랑에서 뗏군 젓떼기 시아즈비 울음소리와
시어머니에 유순한 목소리가 새여나오는 아침
이윽고 오양간에 더운 김 나는
콩을 누어 끄린 여물함지가 나올
아츰은 훨신 밝앗슬 때다

『만선일보』, 1941.11.12.

가을밤

오—ㄴ 天地는 바다인 냥 고요히 잠들고
별들은 게집애에 눈동자가치 날카로이 깜빡인다

가을밤 귀뜨라미 방정맛게 우는 밤
귀염성잇는 언늠이 달만이
끗업는 나그네 길을 게속한다

가여운 달 오작 추울랴구
幸福에 달—오작 自由스러울랴구

나도 달이엿드라면
달이나 되엿드라면—

『만선일보』, 1941.12.10.

모아둔 생각

양지 따스한 곳 눈 녹듯
四年前 봄날
算術問題와 口頭試驗 걱정으로
꽉 찬 좁은 가슴을 안고
龍井으로 오든 때가 그리워진다
한업시 그리워진다

나어린 一學年生이 二學年이 된다고
좁은 궁둥이를 뺏쭉대며
거리로 다니는 것을 보면
참아 이 校庭을 못 떠나겟다
一學年쩍이 그리워서
지나간 날이 그리워서

體操先生의 부릅뜬 눈은
소름이 끼치도록 무서웟고
實習時間에 삽자루 쥐기는
을시년스럽기도 하더니

代數時間에 小說을 보다
왼쪽 귓대기를 다섯 손까락 자리가 나게
어더마진 것도 안탁까이 그리워진다
못 견디게 그리워진다
時間마다 時間마다
先生님의 책망 드른 것이
타이르든 것이
때무든 校服 짬짬이 들여백엿슬 것이라
나는 이 귀여운 制服을 버서야 되나
정령 버서야 되나

나의 안젓던 걸상은 뒷날에
나의 體溫을 그리려 할 것이지
나의 손에 쥐엿든 三德鍬는
明春에 어느 밧고랑을 매려노……
그때는 나의 손때를 그리려 하리라
나는 어데서 너를 그리려 할지……

『만선일보』, 1941.12.24.

김달진(金達鎭) 편

海蘭江

帽兒山 머리에 저녁해 넘고
갈가마귀 넓은 벌판을 어지러히 날면

千年 海蘭江 물이 흐른다
海蘭江은 흘러흘러 몃 구비드뇨
애닯히 돌아보아도 시원치 안흔 넉시기에
구비마다 녀흘져 흐느끼는 목소리여

언덕에 들국화 한 포기 업다
한 마리 뜸북이 우름도 업다
다리 우 첫겨울 바람에 옷깃이 차거워
눈섭 끗헤 오르나리는 나그네 근심만 무겁다
그저 아득히 어둠 속에 돌아오며 귀 기우리면
발자욱마다 찬 물소리 찬 마음 소리
- 龍井을 떠나며

『만선일보』, 1941.11.20.

김덕빈(金德彬) 편

白云에게

어느 漂浪女의 純情이뇨
푸른 하늘에 鶴인 양 날러가는 白云아
窓 넘어……

읽은 詩集마저 떨구고 化石가치 안저
내 너를 잡기 위해 마음의 손길을 펴다
모든 시끄러움은 허울마냥 버서버리고
새 나라로 훨훨 나래치는 白云의 꿈이여

惡이 녹쓰른 鄕土 더러운 心臟을 떠나서
白云아 내 너따라 어데고 가고 시퍼

새 나라로
새 나라로
가비여이 나래치는 네 등에 업펴
航海圖를 펴들고 끗업시 가고 십다
-藝原 同人에서

『만선일보』, 1941.12.8.

김동규(金東奎) 편

洪水

꺼치른 아창구에는
적은 種族이 럴리이슬처럼
달려살앗다
불!
불이 흘럿다 불이 흘으는 움물 속에는
달이 죽엇다 달이 죽엇다 달이 죽엇다
종일 황소는 가슴이 탓다

『만선일보』, 1940.5.22.

김동식(金銅植) 편

冥想 (外1首)

흐릿든 하늘이 단단해지오。

조용한 틈을 타서 별들이 나서오。

저 世上에서 파—란 世上에서

武裝 업는 억만 將卒이

平和와 光彩를 안고

無言의 凱旋을 하오。

變함없는 저 世上……。

追想

눈섭달이 살며시 떠잇는 밤

사깔린 마음을 모아 보재기에 싸지고

저달을 따려 한업시 가렵니다

보내고 나면 눈물 짓는 님도 잇으련만

마지하면 서러워 울님이 잇길래

뒤도라 안보며 고히고히 가렵니다

세상이 괴로우면 님이 오셔서
인생의 한 번 갈 길 진작이나 버리지
무엇이 안탁가워 주저하고 사리까

(間島富士預에서)

『만선일보』, 1940.3.30.

달밤

보름달이 히미하게 둥그럿다
하이얀 구름이 유방인 양 부푸럿다
밝은 달을 보구픈 마음이 야무지게 맴돌아
끗내 이 밤을 새어고야 말건가
꼬기꼬기 겨버둔 마음이라
좀체 풀러마 십지 안타도
열다섯 살 커ー단 게집애 몸떵이로
조심스레 술잔을 부어들어
손님 압페 도사리고 안젓든 마음을
오호 달아 아러채거덜랑
철리박 내 고장에 게실
엄마 무덤에
네 그 에뿐 빗을 보내어
애달픈 내 마음을 전해 다오

(三月十五일 밤 十一時)

『만선일보』, 1940.4.24.

탄식

곰방대에 담은 연기 한숨에 부서지고
오십평생 지나온 일 연기인 양 깜을거려
밧두렁에 주저안저 뉘우치고 뉘우처도
아득한 녯 마음에 한숨만 타오르오

품파리 십여 년에 집 한 채 작만하고
어미일은 어린 것을 품 안에 길르다가
하늘이 무심하야 집마저 물에 가고
어미 찻든 어린 것은 눈물에 사라젓소

남국이 철리라니 고향도 철리리오
마누라 무더노코 어린 것도 무더둔 땅
마도강 마도강에 나마저 무더주오

『만선일보』, 1940.5.2.

片想

뒤짐을 집고 뫼에 올라서
눈알을 궁글리니
저 언덕 밋 늙은 버드나무 그늘에
草屋이 한 채 숨어잇다
반다시 저 집엔 한 떨기 할미꼿 피엿으련만
내 마음이 나븨 못 되여
다시 텅 빈 하늘만 처다보노라
하늘은 놉다
텅 빈 하늘 수만흔 별들은 어대로 가슬가?
별 업는 별나라에 호올로—
한 폭의 구름만이 지향 업시 떠간다
내 마음 실고 지향 업시 떠나가노라

『만선일보』, 1940.6.13.

김립(金笠) 편

아버지 世紀

只今으로부터 十年前
……그때……
아버지 머리에는 상투가 잇섯다
「터럭을 뽑으면 父母에게 辱이 되는 거야」
이것은 아버지의 입버릇 갓흔 소리엿다
그러나—
—그 이듬해 녀름放學에
停車場에서 본 그의 머리 우에는
「나까오리」가 언처 잇섯다

논에는 갈(綠肥)을 꺽거 노허야지
그깟 놈의 풀(堆肥)만 가지고 엇드케 農事를 짓수?
……
……또……

그 그다음 해에는
못자리에 콩깨묵을 뿌리면서

아버지는 이러케 중얼거렸다
「원 이게 풀닢사귀만이나 할 수 잇나?」

아버지 世紀는 이러하였다

『만선일보』, 1940.3.6.

김북원(金北原) 편

胎動

標本室의 露臺에는
아츰으로 저녁으로 춤이 잇섯다
리듬 大理石 大理石 리듬……으로 찬 室內는
뷔一종을 배앗는다。
大理石의 生理를 안은 인듸안
大理石의 生理로 하야 不眠症 기픈 인듸안。
인듸안의 노래 인듸안의
노래는 距離를……。
距離가 잇섯다。
距離가 업섯다。
距離가 잇섯다。
距離의 生理。
生理의 距離가 잇다!
博士는 그라스管을 視準點에 노앗다。
視準點에 아츰이 잇섯다。
視準點에 저녁이 잇섯다。
博士는 睡眠을 演繹하야

午睡가

第九심포니가。

포장처럼 미럿다。

眞空의 第三號室。

瀑布가 잇섯다。

크레오파트라의 投身이 잇섯다。

크레오파트라의 流身이 잇섯다。

크레오파트라의 椿事가 잇섯다。

(李琇馨兄의 答詩)

『만선일보』,1940.4.16.

椅子

하이얀 百合이라 일느자
나비처럼 날은다
안즈면 그대요 나인
굼실거리는 푸른 바다

메랑코리의 보쌈이는
火砲처럼 날여라
摘發되는 포—즈
필님처럼 컷트된다

이날 밤은 平和記念日처럼
이날 밤은 平和記念日처럼
똥그런 하늘이
親한 帽子처럼 머리 우에 잇다。
放送되는 多角形音響은
牧歌처럼 로켈하다고
다리들은 뛰노느냐
가령 風有五常 風하야 마스트 우에

머―ㄴ 出帆의 汽笛이 울고

무도회의 포장도 조용히 내리면

諸君은 구름다리로 걸어

露台로 나아가다。

거긔엔 활달한 空間이

거긔엔 가(邊)모를 帽子가

帽子 끗으로 푸른 眺望이

少女처럼 반겨 잇다。

『만선일보』, 1940.8.24.

비둘기처럼 날으다

山岳 山岳 山岳

여기는 바—바리즘의 一丁目

조이스會館 유리사즈또어를 녹크하는

S孃의 第一號室

구두가 잇섯다

S孃의 第二號室 上衣가 잇섯다。

S孃의 第三號室 回轉椅子가 잇섯다。

S孃의 第四號室 빼드가 잇섯다。

S孃의 第五號室 體溫이 잇섯다。

그는 水仙花가 조앗다。

그는 水仙花의 花瓣이 조앗다。

그는 水仙花의 花粉이 조앗다。

그는 水仙花를 발콩에 노앗다。

발콩에 푸른 眺眹이 잇섯다。

발콩에 아츰이

발콩에 美少年이 잇섯다

S孃은 美少年이 조앗다

美少年은 S孃이 실타

S孃은 美少年이 哀切타
美少年은 S孃의 肉體가 실타
美少年이 발콩에 잇지 안엇다
美少年이 발콩을 떠나든 날
S孃은 花粉을 거더찻다
水仙花의 形骸가 바수어젓다。
발구락이 紅海를 흘렷다
이윽고 S孃은 美少年을 歸納하다。

『만선일보』, 1940.8.28.

憐憫의 書

팔랑개비야
팔랑개비야
너 바람마진 팔랑개비야
너 하늘하늘 創造의 神아
너 正确한 매니페스트.
팔랑개비야
팔랑개비야
너 바람 일흔 팔랑개비야
너 호졸이니 느러진 나래야
너 沒却된
傳說과
正統과
팔랑개비야
팔랑개비야
너 바람 마진 팔랑개비야
하폄나는 時空의 억개 위를
歸省 列車처럼 달니라
팔랑개비야

팔랑개비야

(十一時後 十三· 十二 노랑집웅 밋에서)

『만선일보』, 1940.12.28.

젊은 開拓士여

머리 우헤 하늘은 놉다
발 알에 大陸이 든든타
우리는 靑年이다

마음이 젊다
뜻이 놉다
두 팔을 펼치어 蒼穹을 마시면
大氣가 한 가닥 숨결 속에 풀린다
팔그림자 가로 노히는 地平線
地平線은 가도 地平線이라
大陸은 우릴 부른다

오오—
大陸의 理想이 竹筍처럼 자란다
東亞의 오리지날이 뿌리는 씨여든
薰風萬里 하늘이 드노프면
우리는 歡喜의 이삭을 거두리라

지낸 날은 한바탕 어수선한 白日夢
새로운 傳統이 뿌리내리는
오늘은 다 못 나아가는 時間

그렇타
建設이다!
創造다!

오오— 젊은 開拓의 士여!
우리의 머리 우에 하늘은 놉다
우리는 理念의 푸른 모잘 썻다
우리의 발알에 大陸은 넓어
우리의 에너르기 無限에로 뻣는다

『만선일보』, 1942.1.20.

김성(金星) 편

北風夜

曠漠한 地點으로 사나운 氣焰을 吐하는 北風!
異端者의 怪跡처럼 窓넘에 高喊 高喊 울어오면
머언 記憶 속에 차거로히 가라안즌 옛날이 그리워……
季節을 등진 生理 속! 하나 두울 심어진 풀뿌리!
溫床 속 파아란 싹슬 軍伐소리 울리며 가누나!

팔을 버려 한아름 빼근히 안아 보아도 안아 보아도
손아귀 벌도록 한 줌 움켜 쥐엿다 흘여버린 모래알과 갓흔 꿈!
꿈! 꿈! 世月과 靑春이 한꺼번에 벌떼갓치 울며 갓다
아아 山岳을 우러러 바뜰 만한 太陽 하나 업서
도地脈을 훑는 零下 三十度의 北風夜는 마음 날카로워……

저럿타시 山울림! 내 소리가 還元함일가?
이럿타시 溫床 속! 내 소리가 귀여움일가?
얘야! 등불일랑 가리고서 어서 귀여운 손님을 마저 디리렴!
내사! 정말 내사! 後日에랑 섭다 안코 꿈을
안어 庭園을 꾸미리라! 꿈을 안어 庭園을 꾸미리라!

庚辰 十二月 十日 於北螞塘

『만선일보』, 1941.1.19.

大地

北方 니—ㅇ닝 바람은 歷史를 쓰고
歷史의 실개천 내물을 딸아
나는 오날도 오르락 나리락
江가에서 휘파람 불다

휘파람 멀미나는 고장에
내 사랑하는 族屬들은
오날도 돌 팔매질처서
필연코 일어나는 旋律을 보고 말리라

旋律이 커지면 커질사록
旋律이 자지면 자질사록

北方 니—ㅇ 닝 바람은 歷史를 쓰고
歷史를 쓰는 곳 실개천 냇물도 커지리라
실개천 냇물이 커지여 合致되는 고장에
실개천 냇물을 딸아 딸아 大海로 가듯—
정녕 사람들도 이러케 合致 되여저

功能이 提供한 北方 니—ㅇ 닝 大地의
歷史를 쓰리라

北方 니—ㅇ 닝 大地는 疲困할지 몰은다
北方 니—ㅇ 닝 大地는 擴大鏡처럼 系圖가 잇다
北方 니—ㅇ 닝 大地는 永遠에서 永遠으로 出發한다
北方 니—ㅇ 닝 大地는 綠色草原 우!
旗幅이 남실거린다。

『만선일보』, 1941.11.20.

平原

풀은 草原길은 훗터지고
훗 날리는 바람! 바람!
바람은 「아웃사이」를 불으며
저—리 해오래비 잠을 깨우오

江물은 흘러 흘러 몃 億萬年
永劫의 歷史를 쓰며
쏴! 쏴! 물결소리!
저—리 흘러가고 흘러오고—

귀에도 瀝瀝이 들리노니 물결소리!
바람도 실어 보내노니 가—느다란 회파람소리!
丘陵 우에 놉다라케 올라서서
四方을 바라노라면 끗업는 벌판에 傳說은
오락가락

『만선일보』, 1941.12.9.

별빗

絢爛한 추녀 미테 꼿별이 수미여
꼿바티냥 아는 北風은 닝닝
꿀벌(蜜蜂)처럼 왱왱거리는 저―소리 스러워―

意志가 바솨지도록 마음 다저먹어
칼로 어이리?
말로 어이리?

點點이 情景저 흘르는 譜表―
기쁨은 수미여도 기쁨은 수미여도
슬픔은 나는 벌(蜂)!

絢爛이여 華麗여 憧憬이여
美여
醜惡한 말말이 妖邪스러워도
間間이 情景저 흘르는 별빗(星光)―

『만선일보』, 1941.12.30.

김수돈(金洙敦) 편

駱駝

달밝은 밤일수록
駱駝 잠자—코
걸어갓다
어딘들
슬픔이 업스랴
눈무른 울대에서
머금어 도로 삼키고
타박타박 모래를 밀며 길게
목을 들어
한숨 쉬는 것
駱駝는
오직 하나인 感傷을 가젓다

『만선일보』, 1940.5.7.

김악(金嶽) 편

怒髮

몇 개의 齒車가 휘돌 때마다
薔薇는 하찬을 光彩를 일엇다
갓가운 거리 거리로 붉은 建築은
憂鬱한 채 空間으로 찔으고
戰場도 안인대 無數한 방울이 焰裂한다
대낫이면 발자욱을 댈 때마다
鮮姸한 思惟가 무더 올낫다
더먼 大陸으로 가면 뎃드마스크의
거센 行列이 빗난다
傳統의 뒷 가슬엔
노―란 種族이 밤새도록 슬피 울엇다
間斷업시 얄팍한 가슴속으로
火焰이 타 올은다
붉은 머리카락
휘둘으며 휘둘으며 끗내 大陸을 가르킨다

『만선일보』, 1940.8.31.

靑猫의 노래

褪色한 季節 속에 내 몸은 빗난다
茂盛한 풀닙 속으로 내 얼골은 사라진다

하나이 季節과 한 닙의 풀닙 속으로 조고만 童骸가 된다。

피여올으는 薔薇로 하야 붉은 熱을 알른다

微風 업는 대낫이면 검은 枯渴에 운다

내 눈시울은 넓—다란 鄕愁의 바다
한 방울의 눈물에도 어릴 적 모습이 어린다。

色彩 업는 原始林은 내 잔등에 물든다。

붉은 太陽은 내 視野 속으로
새 하야히 바래워 간다

훗날리는 落葉 멀—이 나는 달린다。

『만선일보』, 1940.9.8.

김용식(金容植) 편

보름달

一. 은빗금빗 고은 옷을
　　차려입고요
생글생글 보름달님
　　소사옵니다
열고말근 사랑스런
　　저 달님은요
하날말근 밤날에
　　생일인가요
二. 은빗금빗 때때옷을
　　차려입고서
생글생글 보름달님
　　올라옵니다
오날 밤에 저러케도
　　조와 보이니
八월에도 보름날이
　　생일인가요

『만선일보』, 1940.4.7.

김용오(金龍吾) 편

수양버들

압내가에 수양버들
북풍바람 힌 머리에
허리 굽혀 울드니만
봄비 기름 바르고서
봄 향기를 피운다네

압내가에 수양버들
북풍마저 웃습다고
벌벌 떨며 울드니만
꾀꼬이가 차저오니
새 옷 닙고 춤 춘다네

압내가에 수양버들
적적하다 울드니만
새 옷 닙고 거울 보며
아히들이 모여듬을
머리 저어 본답니다

『만선일보』, 1940.5.5.

김조규(金朝奎) 편

大肚川驛에서[16]

마을도 없는
산비탈에 서있는 외진 山間驛
하늘엔 눈발이 부현데
待合室은 지친 얼굴들로
가득 차 있다

우묵 패운 볼
두드러진 뼈
눈동자는 저마다 닥쳐올 운명에
초불처럼 떨고 있으니
貧窮의 한 배 속에서 나온 형제들이냐
행복이란 손에 한번 쥐어 못 본 얼굴들이다

경산도, 평안도, 관북 사투리

---

16 필사본으로 남기면서 『만선일보』에 발표한 것으로 되었으나 확인되지 않음.

제 고장 기름진 땅 누구에게 빼앗기고
이리도 멀고 먼 이역 땅
두메 막바지에 흘러왔담?

쫓기는 신세라 이제 또한
얼마나 많은 눈물
무거운 근심을
이 大陸 황무지에 쏟을 것인가

흐트러진 머리를 쓸어 올릴 생각도 없이
흙바닥만 뚜러지게 드려다보는 녀인
눈물자국 마르지 않은 걸 보니
오는 길에 애기를 굶어 줵인 게로구나

할머니는 천리길 걸어 아들 면회 갔다가
'비적'의 어머니라 구두발에 채워
감옥 문간에서 쫓겨났다지요?
먹다 버린 벤또를 주서 먹는
애야 너는 그렇게도 배가 곯으냐?

아, 이 사람들 위해
내 할 수 있는 것이 있다면
무엇을 아끼겠느냐만
유리창은 흐리여

하늘도 흐리여……

썰매도 마차도 소방울 소리도
환영처럼 흰 눈 속으로
사라지고

고향은 강 건너 조선땅이지만
흙 한번 밟아보지 못했다는 사람들
어둡기 전 앞 고개 넘어야겠다면서
하나 둘
눈 속에 숨어 드는데

이 내 몸 눕힐 지붕 밑은 어드메뇨?
집도 없고 벗은 가고
다리는 지쳤고
뜻만으로 헤쳐야 할 운명의 험난한 길에

아, 눈이 내린다
바람은 나뭇가지에 더욱 소란타

『만선일보』, 1941.4.

獸神

계집은 疲困하엿습니다
허면서도 오라고 손질합니다

公園路의 午後에도 꽃은 업섯습니다
바닷가에도
南쪽으로 뚤린 들窓 넘어도

계집을 할는 習性을 배웠습니다
金曜日의 밤
계집은 勿論 女人은 안입니다
붉은 「우쿠레데」의 風景과
어두운 寢室의 華麗한 精神과
말이 없고 나도 默하고
개와 가치 즐길 줄만 아는 것입니다

『만선일보』, 1942.2.14.

病記의 一節

寂寞한 들을 건너 포플라 길에 여름이 오면 외로움보다도 무서움이 앞서는 墓地 가까운 언덕 아래 사는 賢이 도라갈 줄을 몰은다. 지금 黃昏이 짙어 거리거리 지붕들은 부-현 布帳을 쓰고 조고만 들窓들이 눈을 뜨기 비롯하는데도 賢은 黙하여 앉어있다.

깊은 湖水와 같은 눈瞳子가 衰殘한 나를 지키며 沈黙함은 슬퍼서 아니요 외로워서도 아니요 그저 괴로움을 나누고 싶어서란다 그러지 못할진데 고요히 자는 얼굴만이라도 지키고 싶어서란다 사랑이 그 욕이 크고 깊을수록 여윈 나는 슬프다.

오오 머언 市外路에 人跡이 끊어지기 前
빨리 당신은 歸路에 올으세요
기인 複道에 「슬립퍼 - 」소리 조심이 돌아간 후도
아예 나는 외로워 않을 터이나……黃昏, 黃昏

『만선일보』, 1942.2.19.

김추영(金秋濙) 편

不忘草

나는 봄 안인 봄
孤寂한 心田 속에서
어여뿐 꼿을 보앗다。

꼿은 필여고도 질려고도
하지 안코 사랑의 膳物인 양
새ㅅ밝안 입술에서 微笑가 흐른다。
나는 나비 되어 날아가 꼿에 안젓스려니
꼿은 나를 부르듯!
微風에 고개 젓건만
그와 나는 하늘과 구름과 바다처럼
쥘 뜻하나 너무나 멀다
사랑스러운 꼿이라 내 마음에 심으고저
가슴에 넘치는 情 모조리 주엇더니
밉살스런 바람결이 派守兵인 듯
꼿에다 주는 情 못 보내게 하나니
꼿도 설어워 구슬픈 눈물인 양

이슬이 한 방울 굴넛습니다。
애당초 꺽지 못한 꼿이엇다면
차라리 이대로 이저야 할 밤이라면
우슴 주는 그 꼿에 맘이나 무지 말 걸!
未練 깁흔 꼿이여
하만은 膳物 中에 무엇이 원수기로
못 닛는 그 마음을 내게다 주고가노。
아—無心히 지고마는 情 업는 꼿이여
서러워 울고 지는 봄 일흔 꼿이여。

『만선일보』, 1940.4.24.

내 마음의 늪

내 마음의 늪은 언제나 沈黙을 사랑합니다。
숩풀들이 고개 숙인 달빗 어린 연못처럼

내 마음의 늪에서
이뿌고 연붉은 꼿치 송이송이 피여 올흡니다。
해뜰 무렵 고개 드는 단조로운 蓮꼿가티도

내 마음의 늪우로
貴여운 새가 날어갑니다。
봄물 타고 흘너가는 구름장가티도

내 마음의 늪에서
날어가는 새의 그림자를 잡으려고
물고기가 불끈 뜁니다。
구름을 잡으려는 개고리 모양처럼
내 마음의 늪에서
女人의 그림자는 흘러간 추억을
이끌고 옵니다。

落照 어린 개울물에 돗업시

흘너가는 조희배가티도—

- 李仁尙兄의 「나무의 風俗」의 答

『만선일보』, 1940.8.3.

얄루갈 千里길

國境도 千里로다 戀情도 千里
버들피는 江변에는 하소도 千里
어리서리 구름 낀 내 마음은
오늘도 노저어 千里길 가네

江물도 千里로다 넷고장 千里
꿈길에 아롱저즌 배길도 千里
꼿방울에 이슬지는 내 마음은
울며 가는 기럭 따라 千里길에 시들엇네

追憶도 千里로다 未練도 千里
드높흔 하늘길엔 情恨도 千里
넷임의 그네줄에 傷한 가슴은
路뚝길 千里 따라 달을 걸업네

『만선일보』, 1940.10.27.

벽

촛불이 깜박이는 밤
벽은 해묵은 歷史를 진이엿듯
한 폭의 때무든 望畵와 함께
오늘의 傳說도 그여코
외로움의 桎梏 속에서
울고 잇섯다。

벽은 이 房의 온갓 슬픔과
갓티 지냇다。
벽은 이 房의 온갓 極秘密과
갓티 지냇다。
들窓이 울고 내 이불 속이
차거웁든 날
벽은 나와 함께 임의 구슬픈
노래도 불너주엇다。
벽은 나와 함께
님의 얼굴을 오래오래
黙想도 하고 잇섯다。
　十一月

『만선일보』, 1940.11.8.

김춘하(金春霞) 편

슬픈 그림

마음은 때 안인 落葉이 문허저 시름찬 눕(池)가
병든 달을 조심성 나꾸는 슯흔 그림이 사는—

모를 구름이 안인 習性을 배워 푸른 時間을 할터 갓고
아실아실 내(煙) 가튼 노래는 하늘 박그로 넘었노라

인제는 주지비든 넉시 차거운 縮圖에 살기 厭症이 생겨
한 오큼 마음은 끗업는 모래에 고이 뭇고 잇스리라

차라리 파—란 압새길을 총총히 밤새 걸어간
걸어간 그 어느 날 박꽃가튼 초롱불의 힌 마음을 찾으리—
- 庚辰 三月 廿七日

『만선일보』, 1940.7.26.

뒷길로 감이 조타

차거이만 왓고 차거이만 산다는 너는—
어느 窒息이 곤히 몰아내인 骸骨이드냐

질팍이도 살은 慾望이 매양 갈으섯다는 이 나라 이 거리도
독한 거짓을 마인 시름시름이 머물거니—지거니

온길 임이 버린 길에 선가실 그림자는 선가시도 불으지 마라
인제 무거운 밤은 주린 思念에 움직임을 이즈리니

뒷길로 감이 조타 느진 거름만이 가만이 쉬임 수 잇는—
별 하나 조용히 내림직한 뒤길로 감이 조타
- 庚辰 五月 十日

『만선일보』, 1940.7.31.

季節三題

遼東들 南北길을 千里萬里 헤매고
한 쪼각 門牌조차 남겨놓치 못한 채
白髮은 어델 가자고 길만 재촉하는고?

綠陰에 땀 드린 것 어제런가 햇더니
어느듯 落葉되어 人馬에게 밟히네
塵世도 저리할 것을 다퉈 무삼하리요

이저도 못 잊는 일 마신다고 이즈며
마시어 이런 마음 안 마시고 어이 하리
이제사 쓰나 달거나 술과 가치 늙으리라

『만선일보』, 1941.11.21.

새 하늘

함부로 날 수 없는
찬란한 하늘이기에
조와 달과 별을 마시고
오래 눈을 감은 것이엇다

숫한 배암을 키웠다는
깜안 숨통은
너무나 깜안 이야기

붉은 손벽으로
뒤ㅅ길을 가리우는
슬픈 꿈을 멀리하는 것은
그것은 오히려 새로운 것

돌포장을 거두고
겹겹 돌포장을 거두고
아름다운 아츰과 입마추는 것이……

새 하늘에 날아 다시 날아
고흔 무지개 속에 무지개 속에
오래 눈을 감는 것이엇다

『만선일보』, 1942.4.13.

이야기

감이 검은 피를
기우려 마신 이야기도 밤이 패서
별 내음새 뒤서려
하이야케 얼어부튼 입설
불길한 이야기 내내 물어뜨더
찬란한 비반서 길에
눈감은 하늘을 시괴엿다

영영 배 고픈 호흡이
바람을 따르는 어름길이기에
우숨이 화려한 태양을 물고
벌판에 딩군다 딩굴어……

검은 이 벼슬을 뱃장 미테 키워
이야기 꺼질 밤이라면

숫한 피를 모하
피리처럼 모하 웃으리

『만선일보』, 1942.4.30.

밤

푸른 물굽이
푸른 물구비 먹이들이
숨통을 깨무는 새파란 고함소리

밤마다 검은 안개를 뿜는 밤마다
한겹 검게만 물드는 나의 하늘

손길을 저으면
손길에 무더오는 어두운
소리 소리

케케묵은 내음새
괴괴이 떠도는 추접은 공간은
나의 적은 태양이
나와 더부러 살어지는 곳

가끔 얼어부틀 골목길을
나와 등불은

나와 등불은
단하나 심장을 진이엿거니

그지 싱싱한 돌문이 내려질 밤이라면
나는 달을 삼킨 채
말도 이즌 채
이대로 미처서 히히 웃어도 조흐리

『만선일보』, 1942.6.1.

남승경(南勝景) 편

探鑛

探鑛이다

우리는 智慧러운 아—꺼스가 되여

대나제 호랑이 우는 山中으로 가자

케케묵은 간드레를 만지작거리지 말고

大陸에서 新輸入한 정망치를 룩사크에 집어넛차

자 떠나자

오날도

우리는 네가 갓고 십흔 쥬웰을 차저서 알프스로

올러간다

探鑛이다

우리는 날카러운 쥬피타—가 되어

새롭고 히맑은 물이 출렁이는 머—ㄴ 바다로 나가자

곰팽이 쓰른 短銃을 만지작거리지 말고 말숙하고

똘똘한 機關銃을 火輪船에 실자

자 떠나자

오날도

우리는 네가 보고 십흔 파랑새 잇는 無人島를 차저서

太平洋으로 가난다
探酒다
샴페인을 마시고 지나간 行人을 爲하야
쎄노라프를 씨원히 세워두자
우리는 진절미 나는 샴페인을 더 마실 수는 업다
香그럽고 새로운 넥타—는 어데 잇는가
어서 차저서 마시고 십다。
- 於元山

『만선일보』, 1940.12.17.

三十路에서

三十路에서
素服을 두루고
太古의 生理를 講義하니
阿彌陀가 가라사대
異朝異說이라 도리질하고

三十路에서
五色酒를 드리키고
陰雨를 마즈며 電信柱를 그러안고 우니
巷間 石佛이 가라사대
부디 그 惡性을 人間系譜에 남기지 말라고

三十路에서는
亞寒帶高地에다 阿修羅王石碑를 세워야 할른지
아니면 北緯百度에서 隕石을 주워야 할른지
生佛의 遺業을 달큼히 마시어야 할른지……

『만선일보』, 1941.2.16.

黎明譜

지금
싸리바재 둘러친
왁사리 맛걸리집 젊은니는
두고알튼 心臟에 名藥을 먹고 잇소
캄캄튼 아피 보이며 숨이 확 풀리오

눈물겨운 悔恨에 저즌
지난 날의 諸藥!
논밧과 기와집도 업서젓소
썩엇든 心臟에 출렁이는
太平洋의 한 줄기 물이 보이오

뼈만 남어 가벼윗든 體重이
오날은 千斤이나 되는 것 갓소
안애를 불러 心臟이 다 나
엇다고 너털우슴을 치오

世紀의 아침이 문을 두다리오

大東亞의 黎明譜가 우렁차오

어서 일터로 가야 할 大東亞의 黎明이요。

- 於鷄寧

『만선일보』, 1942.2.2.

노정원(盧靜園) 편

初秋의 自然

-(新京 韓兄에게)-

시원한 바람이 두팔을 버리고 춤 추며 거러온다 白楊나무 욱어진 숩 사이로— 맑은 샘물이 손곱찔하고 우스며 흘러간다 險한 돌 틈 산기슬로—

白楊 그늘은 은은히 덥허 잇고 맑은 샘은 보드랍게 속새기며 싸고 도는 이 폭신한 잔듸밧 우에 나 혼자 뒹굴며 놀고 잇기가 아! 벗이여! 너무나 앗갑소이다

푸른 빗 흐르는 포푸라가지로 새여나오는 매암의 노래! 깃분 듯이 즐거운 듯이 달 아래 반작이는 풀밧 우흐로 寂寞을 위로하는 베짱의 울음 슯흔 듯이 애끗는 듯이—

뜨거운 낫이면 흘러 나오고 고요한 밤이면 떠오르는 이 妙한 神秘의 멜로디를 나 혼자 滋味롭게 듯고 잇기가 아! 벗이여! 너모나 앗갑소이다

잔디로 싸인 自然의 빗갈! 풀버레의 애끗는 神秘의 노래! 오! 그러면 벗이여! 이 곳으로 오서. 낫이면 해지도록 밤이면 밤새도록 自然의 빗갈에 키쓰

를 주고 神秘의 노래에 춤 추사이다。

東滿 大肚川에서

『만선일보』, 1940.7.27.

마명(馬鳴) 편

밤

밤 기입고 달 휘영청 밝다

이 한 밤 옛 마슬 그 山속엔
아마 솟쪽새가 밤도와 청성맞게 울 듯도 하나

내 외롭게 고요히 머리 숙이고 초라한 옛 記憶만 한갓되어 反芻해 보노니……

이윽고 저 달이 山머리에 기우러 어둑어둑 窓살에 그늘에 지면

나는 그만
슬픈 귀또람이 새끼처럼 이 밤을 새우리로다

『만선일보』, 1940.12.15.

무명 씨[17] 편

解氷期大陸素描(1)

街路에 봄이 왓습니다
大陸의 봄은 街路에서
어름이 풀리고 바람이 불기 시작하면
滿洲의 氣候는 봄의 表情입니다
그러나 그 먼저
그대는 大陸에 봄이 온 것을 象徵하는
銳敏한 觸覺을 가진 世界를 아십니까
들판보담도 어럼보담도 나무싹보담도 그 무엇보담도
街路가 봄의 表情의 先驅者입니다
아물아물한 해볏이
찌부덩한 겨울 하날가운데서
몃 달만의 따뜻한 빗을 나리면
街路에는
한겨울 동안

17 작자가 불명확한 작품들을 "무명 씨"로 한데 모아 정리했으며 여러 작자들을 망라하였음을 밝힌다.

집안에서 빌딩에서 職場에서
陰鬱의 몬지에 덥혔든 절문이의 潑剌한 스텝이
아직 채 풀이지 안은 페—브먼트로
洪水와 가치 밀여 나옵니다
이러하야 解氷大陸의 前奏曲은
절문이들의 발소리에 마처
始作되는 것이 아닙니까

『만선일보』, 1940.3.30.

해빙대륙소묘(2)

國境에 봄이 왓습니다
鴨江千里
어름이 풀리면
잠겻든 漁船이
流水와 함께 떠나오구
그슬푸게 들리는
漁夫의 소리가
國境을 타고 나려옵니다
솔매가 자취를 감추고
江물이 微風에
떨일 때
江가에 씀박위 나생이 고기 빨내
이 江을 젓줄로 사러오는 흰 동포는
길가로 길가로 들고들 나옵니다
國境의 봄
鴨江을 생각할 때
그대는 무엇보담도 伐木이 머리에 떠오르리라
그러나 鴨江의 情緖, 떼목과 함께

筏夫의 노래소리를 듯게 되는 것도

今年뿐이리라

水典에 땜이 되고 또 어대 무엇이 되어

國境의 떼목이 哀傷을 가짐도

오! 올해뿐이리라

오! 永遠히 올해뿐이리라

『만선일보』, 1940.4.2.

해빙대륙소묘(3)

茂山嶺 구비구비
長白山이 길이게
故土를 東쪽으로 뻐친
그 산꼴
茂山嶺을 갈나서 흐르는
豆滿江
國境은 다 갓흔 國境이나마
鴨江의 曲驍한 姿態에 比하야
발가버슨 間島와 故土를 해쳐 흐르는 이 江은
어대인지 우리들과 더 깁흔 因緣을 가진
抒情이 아닐는지
豆滿江 여휜 젓줄도 풀엿습니다
國境鐵橋의 橋脚을
억세게 물고 섯든
沈默의 어름장이
하로 이틀 밀여오는 봄볏에
匪賊을 쫏는 銃소리와 함께
쩡 쩡 쩡

겨울이 갈나집니다

어름이 떨어집니다

그리고 그들 사히로

푸른 빗 悠久한 神秘를 실은 물이

살며시 微笑합니다

茂山嶺 七百里

今年에도 이 江을 넘는 白衣는

봄철一에 江의 어름이 해여질 때

哀愁와 希望

抒情과 憧憬을 가삼에 실고

北으로 北으로

긴 行列을 짓습니다

그대여

그대의 귀에는

茂山嶺 저 고개에

이들 에미끄란트의

구스푼 노래가 들입니까

『만선일보』, 1940.4.2.

해빙대륙소묘(4)

푸른 山
봄이 되니 어대인지
산도 기름진 것 갓습니다
殘雪이 斑點처럼 힛득힛득 남은
지붕우리에도
내 故鄕 우리 鄕土이엇드라면
바위틈 속에
붉은 진달래가
피엇슴즉 하다만은
슴박이 순 트고
불빙이 싹이 나면
눈남은 우리 故土에는
진달내가 피지 안는가
그러나
滿洲天地에
진달내를 차즐내야 차즐 수 잇나요
그러나 北國의 자랑
白樺의 가지에 아렷한 햇볏이러나

붉은 눈 어르면

故鄕의 抒情에 밋지지 안는

北國의 봄

봄이 움직이는 뜨라마가

분주하게 치장을

시작하지 안습니까

南國의 봄이 詩라면

갑작이 와서 갑작이 가는

愛惜한 北國의 봄은

戱曲이 아니겟습니까

『만선일보』, 1940.4.3.

해빙대륙소묘(5)

그대는 牧歌的이란 말을 아십니까
牧歌的!
얼마나 고요하고 自由롭습니까
東西南北
어느 편을 도라다 보아도
눈 안 닷는 들판에
羊 소 말 그리고 락타
어떠한 家畜이
유유히 풀을 뜻는
閑暇한 光景을
그대는 보시엇습니까
내 山川 내 故鄕에는
山이 잇고 들이 잇고 개울이 잇고
그리고 村落이 잇지 안습니까
그러나
滿洲!
이 大地의 벌판에다
다만 풀과 들바닥

이것도 겨울이 되면
오로지 하늘이 얼고 땅이 얼고
오대든 다 어름이 됩니다
그러나
이제는 봄입니다
이 걸이낌 업는 들판에
풀에 순이 들고
땅에 물김이 들면
이 大地에는 牧歌가 버러집니다
한가한 光景
그대가 이 光景이 그립다거든
오라 大地로 大陸으로
滿洲의 봄은
끗업는
寬大와 包容을 가진 것을 모릅니까

『만선일보』, 1940.4.6.

해빙대륙소묘(6)

紅塵萬丈은
大陸換節의 表情입니다
고비의 넓은 沙漠을
西伯利亞의 高氣壓이 움틀그리면
하날이 빨게 되다시피 몬지를 실고
大陸滿洲에로 차저옵니다
그러면 이곳에 겨울의 不純이
다 흘러가고
南國에서 오는 微風이
다시 風向針을 反對로 變하지 안습니까
그럴 때 이 狂亂의 沙漠
大興安의 이 편 저 편는 새싹이 나고
아물한 해볏과 함께
沙漠의 處女駱駄의 울룩불룩한 등작에
포근한 봄아지랑이가 끼이는 것입니다

『만선일보』, 1940.4.9.

해빙대륙소묘(7)

湖水는

고요합니다

엇더한 地形의 뜨라마에

湖水는

고요너니다

長白山의 驗峻

松花江 벌판의 荒涼

獰猛한 人文

東滿의 天地는

北國과

大陸이

가진

典型의 모습이외다

그 가운대도

봄은 왓습니다

湖水를 잠겻든 무더운 여름이

추위와 함께 가고-

이제

白樺의 숲 사히에

새 가지 지고 순이 트면

鏡泊湖는

잠잠한

우슴을 가지게 되나니다

『만선일보』, 1940.4.10.

해빙대륙소묘(8)

冷血動物에게 冬眠이 잇습니다
그러나
冬眠은 그들의 것만은 안입니다
滿洲 아니 北國의 겨울은 우리들에게
完全히 冬眠을 强要합니다
그러나 한번
太陽이
北回歸線으로 向하야 突進하면
이 땅에 싹이 트고 움이 나며
그와 함께
한 겨울 눈 아래 어름 아래 잠 자는
모든 工事 大滿洲建設의 進軍譜는
힘찬 傳令의 喇叭과 함께
이 山河에도 울여옵니다
森林을 치고 荒地를 파 뒤지고……
그리하야 王道樂土의 理想은
우렁차게 봄과 함께 前進하나니다

『만선일보』, 1940.4.13.

女學校庭

薔薇園에는 三月 금음의
南風이 숨어 잇서서
바람이 흔그는대로
꼿봉오리갓치
四月은 말이 업섯다。

『만선일보』, 1940.5.22.

무아(無我) 편

誘惑과 苦悶[18]

눈만 감으면 오늘 아련한 그 모습
―이것은 나만이 볼 수 잇는 모습.

여게 後期印象派의 風景畵가튼
그윽한 숩과 길
그리고 저쪽에
바다를 향한 寂寥한 庭園이 하나 잇소。
그곳에는 참으로
익을대로 익은 魅力的인 불빗
林檎 한 알이 탐스러웟소。

『오늘은 期於코 이것을 따리라』
어제도 오늘도 나는 그 庭園을 바라보며
간얄핀 숨소리를 죽여가며

18 讀者文壇 투고작이다.

팔을 부르것고 몃 번이나 몃 번이나 별려 왓든고?

그러나 오늘도 나는 虛ㅅ되히
禁斷의 果實만 바라볼 뿐—
애틋한 未練의 꿈을 얽는 庭園을 떠나
期約 업는 마음의 七百里를 또 별르느뇨?

『아—철업시 야릇한 誘惑에 헤매이고
부질업시 苦憫에 우는 마음이여!』

『만선일보』, 1940.1.30.

문원흡(文元洽) 편

孤獨頌

밤이면 샘물 나오는 소리를 듯는다
사나온 머리털 한 오래기씩 만저보다

기차의 머—언 汽笛을 잠고래처럼 들어본다
또 그리고 전등불을 빤히 처다본다

거울 압페 焦燥해진 눈瞳子
이제 悲哀랄 듯한 그림이 비웃는다

밤의 妖精이 親切이 차저온댓자
들러줄 노래도 업다
보여줄 춤도 업다

海峽에 모래알이 종알거리듯
허물업는 古譚이라도 속은 거렷으면

『만선일보』, 1941.2.1.

박갑조(朴甲祚) 편

凝視[19]

무거운 沈黙 우에 고요히 흘러가는 凝視
뭇빗이 날뛰는 현실의 관역판을 뚤려지게 보는 凝視
幻虛에 우즐거리는 봄의 멜로디—를 무질르는 凝視

아! 새벽 하날을 박차고 달려드는
젊은 이날의 凝視를……
五月의 勇躍을 안고
뭇 憤怒의 불길로
病든 「몸」의 自畵像을 불살러버린
칼날가티 빗나는 이 凝視를 보는가

極光이 유난히도 번뜩인다.
海岸을 달리는 波濤가 유난히도 소리치운다
大地를 덥허 놀은 煙幕이 툭 터저간다

---

19 신춘문예 일등 당선시이다.

오! 이 凝視 아래

人間이 몃 萬年 동안을 두고 비저낸 이 크나큰

應試 아페

地震計의 指針은 驚異에 울고

때는 사나운 音響을 더듬어가며

變節의 偉大한 告白을 슬어한다

『만선일보』, 1940.1.3.

박린명(朴麟溟) 편

湖畔에서

湖水는 溟想에 잠긴 채
푸른 하늘을 손짓하여
病든 詩神을 삼켜 보리고……
創造의 理念에 샛빩안 꿈은
무르녹아
차디찬 달이 湖心을 透視하다
흘러간 貴여운 모습이 그리워서
追憶의 실마리 푸러주는 조약돌을
하나 둘 주으며 湖畔에 化石이 되다
-어려서는 물 作亂하기에 날 점을 줄 몰낫노라
-자라서는 네게서 슯흠을 배웟노라
-슯흠을 못 익여서 故鄕을 떠낫노라
黃土빗 想念에 望鄕歌마저 이저
子規새 怨望하든『노스탈지아』
故鄕의 품은 사랑스러워라!
흙냄새 아우라몬인 양
메마른 肉塊만이 금틀거리는

病든 肺腑에 슴여들어 心臟을 鼓動처-
아모로켄이 充溢하든 不純의 피
靜脈으로 돌아가고……
나는 갑작히 聖者가 되여
幸福의 瞬間을 湖心에 徘徊하다.

-五, 十二日 故鄉에 돌아와서-

『만선일보』, 1940.5.18.

박린형(朴麟炯) 편

솔개

밤내 鐵網을 무러뜨러도
꿈을 하염업시 하늘에 울고
네 넉슨 땅에 구을다
지난 날의 아름다운 꿈을 回想하여도
보담업는 눈물만이 새롭다
날과 날업 얽힌 意慾에는
샛발간 열매를 동그라니 매젓고
네 鄕愁 어린 눈瞳子 속에
또 네 노리터 푸른 하늘을 보다
　　-動物園에서 萬山君에게

『만선일보』, 1940.4.3.

豆滿江

달에 이빨이 잇서 네 푸른 가슴을 무러뜯더
힌 구름이 너를 덥혀
神秘스런 傳統이 情緖의 실마리 푸러주는
白日夢의 부드러운 毛氈가튼 草原—
大地를 脈쳐 千年을 하로마냥 푸른 하늘을
가슴에 안어 아 이 江은—
太古의 神秘를 간직하고
世代의 거친 觸手에 네 넉은 永劫에 울다
肉體에 秘密의 門이 잇서 그 門이 열려
第二次 聖徹의 날개를 펴—
處女는 파랑새 그리워서 葡萄빗 想念 蜃氣樓처럼 피여 오르고
過去를 回想하든 암배암이 江心에 逃亡치고
未來를 創造하려 大地의 心臟 속에 安住하여
創造의 푸른 寢室에
바벨塔은 空間에 맴돌다。

『만선일보』, 1940.5.5.

박상훈(朴相勳) 편

离鄕

情드른 내 고향을 떠날손가 햇건만은
만나고 헤여지고 오고 가고 죽고 나고
그래야 사는 인생 피할 길이 업서리。

내다 보니 압길엔 봄 안개 안타갑고
도라보니 *老母少妻* 목 메여 우는구나
마음 두고 몸만 가니 이 아니 서러운가

靑山아 잘 잇거라 綠水 너도 잘 잇거라
품은 뜻 구든 맹서 이루는 그날이면
내 氣象 내 潔槪를 빗내 볼까 하노라
　- 庚辰 새봄 元山을 떠나면서

『만선일보』, 1940.5.4.

蒼空

푸른 비 나린 뒤
나는 호올로 개인 하늘을 처다보나니

水晶이 이슬되여 고인 듯
靑玉이 샘 되여 갑은 듯

깁고 맑은 그 湖心 속
내 마음의 잉어는 꼬리를 치오。

空想은 水仙인 양 하늘거리고
虛榮은 浮萍처럼 떠도오

憂盃도 鄕愁도
흘러간 구름!

내 希望의 蓮꼿 속엔
明朗의 花粉만 香그럽소

푸른 비 드리운 뒤

나는 호올로 개인 하늘을 처다보오。

- 五. 十六. 淸津에서

『만선일보』, 1940.6.26.

박우천(朴宇天) 편

理想

理想이여 그대는 내 마음의 世界에
기피 멀리 숨어서 반짝이는 北極星
이 마음의 뭇별이 生을 싸고 돌 때에
軸을 박는 그곳도 오직 그대 北極星
理想이여 그대는 내 마음의 王國에
빗과 熱을 뿌리는 太陽과도 가트다
그대일래 이맘의 想覺 만흔 동산에
모든 生命자라고 아름다운 꼿피다

그리치만 때로는 波濤치는 滄波에
羅針盤을 저바린 배가티도 끗업시
물결치는 그대를 어둠 속을 헤맨다
내 마음의 부서진 屍體들과 幽靈이
그러므로 그대는 내 외로운 心靈이
찻고 차저 깃드는 貴한 殿堂일리라
理想이여 비노니 끗날까지 永遠히
어둠을 헤치고 나와 함께 잇스라!
十一月 十八日

『만선일보』, 1939.12.6.

박정호(朴定鎬) 편

두 마음

맘과 맘이 멀기 千万里
千万里 먼 길도가면 가련마는
얼만지 모를 것은 맘과 맘 사이
이 생각 하면서 저 말을 하니
이 말을 듯고는 또 다른 생각
말을 할수록 더욱 모르면서
마조 보기만 하는 두 마음이어—
사랑하는 두 맘이 정성스런 거즛말
어림과 해석으로 서로 끗는 암호를
아아 견디기 어려운 애탐이여—
깨트리지 못할 사랑에의 저주여—

『만선일보』, 1940.2.7.

잇고 시퍼라

「나를 잇지 말라
일각도 잇지 말라」
떠나실 때 임이 하신 말씀

어제보다 오늘이
날이 갈수록 더한 그리움
견딜 수 업는 이 마음의 아픔
아아 잇고 시퍼라

『만선일보』, 1940.2.7.

박천석(朴千石) 편

해바라기

너는 浪漫을 꿈꾸는 한 여름의 女人이엇다
蒼茫한 大空을 그리는 네 情熱은
淸楚한 치맛자락과
노ㅡ라케 얽은 얼골에 넘치고 넘치다
蒼空千里길을
倦怠를 털고 悲哀를 삭이며 오르나리는
그대 입김에 완전히 얼어부튼
해바라기
그대는 네 해맑은 微笑에서
疲困한 鄕愁를 차저
妖艶한 薰香 우에 黃昏을 던지다
딱따구리처럼 네 가슴을 파고 드는
悔恨! 悔恨!

『만선일보』 1941.12.3.

눈 나리는 날

힌 눈 聖林에 돌아 맴돌아
컴컴한 老松을 나려 덥는다
차거이 호흡 짓는 돌담에
새하얀 이끼
回想이 搖籃 속에 기피 잠 자다
내 마음가치 하이얀 벌판
오즉 追憶에 어두운 내 가슴의 窓을
한층 더 透明케 한다
접접이 눈 싸인 외거풀 벽을
힘 업는 뿔로
밀어 제처 보는 날
눈은 나려 나려 싸이여
또다시 새로히 나려 싸이여!

『만선일보』 1941.12.17.

방관옥(方觀玉) 편

海邊

나는===

오늘도 외로히

바닷가에 섯습니다

적은 바위 큰 바위

금성듬성 드러누은 양

옛날을 비웃는 양 흉칙스럽고

부서지는 波濤소리

追憶을 깨무는 듯 얄밉습니다

멀리 水平線 넘어

亞鉛빗 하늘이 저러케도 원망스러운데

부푸러 오르는 힌 구름은

鄕愁처럼 애닯소이다

푸른 물결 차고 갈매기 한 마리

짝을 차저 너훌너훌

아득한 저쪽 하이얀 돗대끗을 헤여 사라진 뒤
바다는 다시 墓地와 가티 쓸쓸합니다.
그러나===
나는 오늘도 외로히
바닷가에 섯습니다
==淸津 海岸서===

『만선일보』, 1940.6.27.

백민(白民) 편

별

겨울밤 하늘에
별님이 깜박
밤새도록 잠 못 자
지치어 졸다
무서린 찬바람에
외로워 떠네

겨울밤 하늘에
별님이 깜박
우리방 침대 우에
네가 온다면
내 저구리 입혀주고
자장가 부르리

『만선일보』, 1940.5.12.

도라지꽃

神秘를 감춘 바위 가슴에
精誠을 神經 깊히 삼키고
너는 心臟에 피여난
情熱 깁흔 憧憬의 꼿
地中의 藝術家이다

創造의 曠野를 밟고
微風에 나비와 벌을 反芻하며
多角形 戀心을 거늘이는
너는—
오즉 湖水보담 더 맑고 깁흔 歷史를 품엇고
不死鳥魂갓치 푸르고 새로운
神話를 지니엇을 것이다
뿌리로 大地를 힘것 안고
꼿과 枝葉으로
맑은 虛空에 芳香을 키쓰하나니
너에게는
苦悶과 憂鬱은 업고

喜樂과 明朗뿐이 피여날 것이다

天國과 極樂도 부럽지 안은 듯
沈黙을 길게 끌며
自然詩를 그리는 모양 부럽게 고웁다

도라지꼿
너의 情熱은 뜨겁고
너의 再生은 反射하고
너의 心路는 맑고
너의 存在는 人生의 永遠한 붉은 憧憬이다。

『만선일보』, 1941.12.3.

백삼(白森) 편

피에로의 노래

願한 배 엄슴에 더 스러웁단다。
고깔에 패랭이 퉁소 새납
이런 것만이 마음에 달가워
애꼈노라。냇가로 나가노라。

願한 배 엄슴에 더 스러웁단다。
마음 업슨 무리 깜—하니 살아저가 업서도
애달픈 노래는 끈일 줄 몰라
국권한 가슴은 문어저 가노라。

팔다리 드노라 고개를 젓노라
보는 이 하나 업시도 한밤이 새이도록
춤을 추노라 어두운 냇가로 나가노라
願한 배 엄슴에 더 스러웁단다。

내가 업는 날
잘못을랑 탓하지 말라。

자랑일사 더욱 말라。

願한 배 엄슴에 더 스러웁단다。

-典型詩集에서

『만선일보』, 1940.10.22.

첫 響宴

한철 범나비의 히한스런 꿈이엿다
호올로 부풀어 幸福하엿다

손(客)들이 돌아가 허정한 廊下엔
보이는 구석마다 정다운 음성
허수헌 마음은 밋업지 못해
다시와 살피는 엠푸티·호—ㄹ

그러틋 盛하렷든 보배리운 設計도
비인 컵 흐터친 자리 우에
깨여진 거품처럼 흐터저 갓나니

애처런 期待의 幻影을 안고
파—ㄹ하니 찔린 瞳子
가슴만 더듬어 보다
記憶만 더듬어 보다

아아 여기에

七面鳥의 이야기는 燃燒되고
空虛한 洞窟의 모습은 도라와
구겨진 愛情의 긴 旅路 우에
비인 컵 그림자는 넘어지다
비인 컵 그림자는 문어지다
-典型詩集에서

『만선일보』, 1940.10.25.

백향(伯鄕) 편

버들의 鄕愁

짓처진 수양버들 鄕愁 어린 닙새
비 맛는 슬픔이 잇고
때로 비 맛는 즐거움이 잇다

바람이 부러 떨리는 마음
먼—故鄕 우물까 그립고
퍼—런 논뚜던이 그립다

잼자리 한 마리 날러오지 안는 湖畔
돌팔매 뿌려던저 追憶을 깨트리고
흣터지는 波紋을 보라

鄕愁에 醉한 그림자가 부서저
黃昏은 찰삭찰삭
銀모래에 숨어드오。

『만선일보』, 1940.5.8.

失樂의 밤都市

電線柱에 부딕치는 바람의 嗚咽이 슬픈 밤이다
집 일은 시골의 少女가 行길 모퉁이에서 울고 있다。
굵은 승냥이 가튼 馬夫들이
합숙한 少女의 뒤꽁문이를 딸어갓다
剎那가 흘러간 다음!
自動車"햇토라잇"의 射光이 甚하다
少女를 찻는 어머니의 소리가
멀리서 들리는 듯 십다
活動寫眞館의 窓門이
모다 잠거버리고—
뻴딩이 窓과 窓의 불이
하낫 둘 꺼진다
暗黑이다
大都市의 生活도 인젠
죽어 가고 잇다。

『만선일보』, 1940.5.22.

북성(北星) 편

旅窓默吟二首

1. 离別前夜

寂滅의 날!
孤獨의 밤!
冷氣 슴이는 뷔인 방에서
나는 짐을 꾸리다。
구거진 옷나부랭이 한 붓짐
몬지 끼인 冊 몃 권。
이 박겐 아무 收拾도 업섯다。
窮貧한 살림
簡單한 決算이다
무슨 傷處가 건드리는 듯
싸기를 꺼리든 건
勇氣를 내여 꾸리고 보니
헛트럿든 마음 행결 갓든한 듯
허나 엄마의 품속을 떠나
팔녀 가는 어린 병아리처럼

애끗는 서름에 가슴이 질녀
불을 끈 지 오래건만
잠을 못 잔다!
잠을 못 잔다!
時計소리 고요—히
열 두시를 톱는데—。

2. 杜鵑

간밤!
夜月은 三更인데
두견새 한 마리
잠 못 자는 내 窓前에
고요—히 속삭이고 가다。
—그대 잠 못 자오—

두 번째
그 두견새
몸부림치는 내 窓前에
은근히 속삭이고 가다。
—그대도 몸부림치오—

세 번째
例의 두견새

한숨 짓는 내 窓前에

마지막 속삭임을 주고 가다。

—아! 아! 그대는 우오—

『만선일보』, 1940.4.5.

설령(雪嶺) 편

酒幕

落葉松 그늘진 달밤
눈보라는 일듯 일듯
말방울소리 한결 더― 외로웁다。

酒幕은 멀고 멀어
燈불마자 질 듯 조심스러운데
그 누가 서글픈 휘파람을 휘날리며
눈 깔린 이 밤길을 호올로 걸어가느뇨……

오……워드카(火酒)가 그립고 노래가 그리운 밤
火덕을 달고
장작불은 이글거린다。

오…… 동무여……
든 잔이 철철 넘치도록 부어라
오직 슬픔도 기쁨도
世代의 고달픈 나그내는

워드카로 이 밤을 세우리라。

『만선일보』, 1939.12.19.

大地[20]

대양한 아침 햇발이
주줄이 흘너 넘처
잠 깬 大地 우에 다사로웁다
모래둑 아래 바슬거리는
파르르 파르란 풀싹씨들은
마치 무슨 노래라도 울플 듯
그 입설에 아롱진 움직임이 나불거린다
가지(枝)마다 푸른 希望이
몽글몽글 부푸러 오르고
羊무리 山峽에 한거러운 날
멧새떼 훨―훨― 이는고나
그 누가 괭이메고
저―누엿―한 들길을 거닉는 거냐
陽光이 노곳―이 풀리는 곳에
풀香氣 제법 香긋하다
내일 즉히 슬픈 旗폭은 접어 이 땅에 뭇고

---

20 신춘문예 일등 당선작이다.

오래 情든 장막을 떠나는 저물막
大地여……
너는 내게 푸른 草原을 주워
밤마다 내 슬픈 魂을 쉬게 하엿다。
오! 大地여! 어머니여……
너는 將次 밝어오는 날 아침
풀른 江물이 구비처 흐르는
저—가지 茂盛한 언덕 우에서
내 기뿐 牧歌를 너는 들으리라。

『만선일보』, 1940.1.4.

山峽[21]

저녁 煙氣 솔—솔—
山峽에 피여오르는 저물막
아비는 밀단을 걸머지고
아이는 소곱비를 이끌고
오순도순 情다웁게
그늘진 비탈길을 걸어온다
감자 캐는 이 고장 女人들은
마치 알탐하는 山비둘기처럼
각담 아래 그 마음 오붓하다。
샘물들은 도란도란
밤 별을 불르고
마을 집등불은
차차 하나 둘 더—늘어간다。

『만선일보』, 1940.1.4.

---

21 신춘문예 일등 당선작이다.

旅路

밤마다 옷섭을 여미고 호올로
窓가에 다거안는 心思
人生의 호젓한 旅路를 근심하는
그 어느 女人의 슬픈 마음이랄까?
落葉은 흣날고 금음달마자 기우러지는 밤
그 누구일까? 서글픈 휘파람을 휘날리며
호올로 저 먼—들길을 걸어가는 이가?
오! 내 젊은 時節의 노래와 情熱도
너와 함께 흘러흘러 밤마다 이러케
꿈마자 窓가에 흘러가구 마는구나。
　一九三九、十二、三一日

『만선일보』, 1940.1.18.

성기돈(成耆暾) 편

海女

물속 깁흔 藻草가
첫가슴을 할틀 적마다
두고 온 갓난쟁이의 우름소리
가엽게 아득하구
琥珀빗 국직한 四肢엔
海濤에 잠들어 꿈속을 헤매이는
뭇魚族의 亡骸와 소라껍질들의
냄새가 새롭더라
海女—
네 눈동자엔
水平線 아득한 火輪船의
映像이 고여잇든구나

『만선일보』, 1940.2.14.

芭蕉

그는 언제나 閑寂을 사랑하는 버릇이 잇고
諦念의 哀調에 찬(充) 葉脈을 더드머
흐르는 비 방울 하나
오오 인度의 슬픈 모습이여.

『만선일보』, 1940.2.14.

蓮

안개처럼 가랑비 자욱한 池塘
그 蓮꽃과
그 蓮닙엔
釋迦의 體臭가 올맛던구나

『만선일보』, 1940.2.14.

記憶

송사리 비린내 나는 손가락에

문뜩 사러오르는 少年의 記憶

송사리

방개

새우

고동

뚜러진 얼맹이 구멍으로 보이는

내 고향 동구박 물방아깐아

『만선일보』, 1940.2.14.

손소희(孫素熙) 편

反面

따 우에 하늘은 높고
하늘 아래 바다는 깁네

하늘에 별 한 개 깜박일 때
따 아래 모래알이 반짝이누나

교만한 우슴 아래
不敬의 하품이 잇고

殘忍한 劍舞 아래
피흘닌 復讐가 잇다네

蔑視의 찬서리 아래
革命의 白雪이 덥이리니

오늘 내 검은 머리로
당신의 白髮을 是非키 어려워

- 舊稿에서

『만선일보』, 1940.12.13.

自然·老人·老馬

無邊曠野에서 蒼茫한 草原으로 당신은 그러케 自然을
주름잡어 몃 千날을 걸으셧습니가
발자욱 하나에 悠久한 大陸의 情緖가 서리어 낫섬으로
우리에겐 太古의 할아버지를 對하는 듯 限업시 먼 옛날의
故鄕이 그리워집니다

말곱비에 얼킨 것은 情만이 아닌 것이 몃 万年 함께 걸은
勞苦의 길동무 두 귀를 추겨들고 그도 먼 懷古에 잠겻습니다

그리하야 自然과 할아버지와 말의 呼吸은 꼭 하나이 되엿습니다
모—다가 깁흔 思考에 잠긴 채 천천히 또 천천히 해와 가치 걸음을 것고 잇습니다。

어대로 가시나잇가
무엇을 바라시나잇가
보이지 안는 우름소리를 뒤두고 無常한 變遷의 痕迹을 뒤지며 그리고 또 남기며
未知의 旅程을 언제까지 걸으시렵니까
草原 박게

어린 孫子의 우슴을 차즈시며—부디 편안한 걸음을 걸으소서。

『만선일보』, 1941.1.14.

祈愿

깨여진 꿈의 조각을
하나하나 모아서
새해의 神 아페
祭物로 드리나이다
내게 曙光을 주시옵소서

涸渴을 모르는 눈물의 샘을
밧줄을 나꾸어 푸어버리며
어둠에 쫒기여 거러온 길을
뒤도라 안 보리다
내게 光明을 주서서

이 땅 우에 삶의 뿌리를 박엇슴이
당신과 나의 운명이온대
이 흙의 냄새를
우리는 웨 사랑해서는 안 되는가요

내게서 눈물을 거두지 마소서

눈물에 아로 삭인 슯흠을
마음의 課淵에 심으는
아픔을—아르십니까

여튼 꿈길을 따러
눈물의 彼岸을 건너
첫 닭의 우름을 드럿나이다
새벽역 찬 바람을 쏘이며
—저 땅과 이 바틀 매일 연장을 들고
—그도 저도 다가튼 무쇠이오매
—버리고 취할 것을 모르오니
—내게 선택의 자유를 맛기지 마소서

『만선일보』, 1941.1.30.

女人의 노래

감을감을 떠도는 송이구름이
湖水가에 깃드니는 첫 여름의 하로
당신은 실버들 胡弓을 뜻고
나는 노래하는 가나리야
푸른 잔디는 喜悅의 搖籃台
금잔디에 서린 情을 버들입에 고히 매저
億萬年 나린 물에 배 삼아 띄여노코

당신은 王子요 나는 公主
常綠樹 역거서 王冠인 양 언저보고
금잔디 푸른 방석 王座 삼아 노피 안저
우리는 젊엇거니
당신은 喜悅의 櫓를
나는 幸福의 櫓를 저엇습니다

해는 저물고 나른 바뀌여서
오늘도 첫 여름의 하로외다
異鄕에 닥그시는 學業의 길에

成功의 깃발을 날여 주소서

오늘—追憶의 물레를 돌리며
來日을 爲하는 懇切한 祈願을
저— 떠나는 구름 우에 실리나이다。

『만선일보』, 1941.2.2.

廢墟의 옛집

半開한 窓문턱에 江南의 고흔 아씨
님그린 小夜曲을 港口의 都心 우에 던지든 그 밤

颱風에 밀린 潮流
平和의 五色燈을 삼키여
아씨의 고흔 思念
黃金의 宮마저 허므럿구나

廢墟의 집웅 우에
꽃나무는 노피 솟아
이 집에 드나들든 옛 主人을 그리는 듯

뜰 아래 花壇 우에
雜草 함께 성기여
영화의 옛모습을 追憶하는 양

허무러진 人工 아래
無窮한 自然만이
오면 갈 줄 모르누나。

『만선일보』, 1941.2.5.

墓標에 드리는 글

오늘 욱어진 꽃나무숩 아래 그대는 고요히 잠 자누나
어젯날 이슬 기픈 아츰 동역의 햇발을 거두려 발도듬을 짓는 곳
별 총총한 밤 銀河에 매친 織女의 서름을 속삭이든 곳
두 그림자를 나란이 세여주는 달빗
발자국 녯을 아로 삭여주든 힌 눈
어젯날 地球의 綠衣를 다가치 두르고
靑春의 붉은 잔에 사랑의 술을 가득히 부어
오늘을 위한 축배를 들든 곳
꼿입을 따서 幸福의 設計를 역그며
머리 우에 지저귀는 새들을 歌人인마양 손벽 치든
그대 고은 우슴이 물결처럼 펴지든 곳
無常이란 잔에다 눈물의 술을 부어
그대 墓標에 드리노니
生의 綠衣야 흙 속에 무첫거나
靈의 白衣나마 꿈에나 차저 주오
오직 追憶만을 안고 서름을 뒤두고
나도 저 浮雲인 양 끗업시 떠가고 십흐오
그대 편히 쉬는 곳
나도 편히 술 곳으로—

『만선일보』, 1941.2.16.

앵무새의 편지

일은 봄 눈부시는 햇발을 초롱 안에서 맛는 말장수 앵무의 조잘대는 소리를 아버지와 딸은 귀 기우려 듯고 잇습니다.

할아버지 아씨님 내 털옷이 푸른 진주가치 빗나고 내 목청이 은방울가치 말거젓스니

저—먼 산에 아지랑이 끼는 때인가 보아요

이 창살로 둘러싼 나의 궁전에 山海珍味를 갓다 주시고 나를 매일가치 귀여워 해 주시는 할아버지 아씨님 이 궁전에 숨어드는 바람이 香氣를 타고 올 때 나는

웨—저—푸른 하늘이 그리워질가요 그래서 내두 나래를 펴서 저 神秘 속에 조으는 산기슭을 피곤에 지치도록 날어보고 향기 풍기는 깁숙한 나무숩에 잠들고 시픈가요

해바라기 꿈동산에서 남쪽의 하이얀 꿈을 깨여 코쓰모쓰 손짓하는 북쪽하늘 밋에 축축한 아침이슬을 헤치며 초가집 채양 밋에 기대여 선 동글납작한 아씨님도 맛나 뵈구 십습니다。

그뿐이겟습니가 나와 가치 말장수 동무도 맛나고 십습니다。

『만선일보』, 1941.3.8.

송석(宋石) 편

向日葵

흘러간 세월에는
恨도 怨도 업거늘
웨 나는 이다지 可憐할까
-한 구석의 呻吟을……
검은 나라 누-런 바람은
길고 긴 여름의 로맨스를
실고 달리고 노코
限업시 大氣를 삼치거늘
구즌비는 오실오실 내리다
정원의 特權者라고
오날도 『베란다』에 올라
『곳들이여! 靈魂은 차저왓다
힘것 美를 보여들이자』
나그네의 旅人宿은
오날도 門을 열고
蜜蜂의 걸음을 쉬운다
崇高한 매력과 自尊心은

夢遊病者 허리처럼

가늘가늘 소치며

그저 이 한날을 보내더라

嚴한 思索과 懷古는

靑樓의 입히 페고

그 힘찬 姿態는

偉人처럼

오날도 머리를 숙이고 잇다

해-

나는 너를 원망한다

『만선일보』, 1940.4.20.

詩人

너는 歷史가 地圖에서
解脫을 차즐 때
痛哭을 하는 習性을 버려라

港口에
정어리 내음새가 잇는 것도
아니다
나룻배가 고기배를 찾는 것도
아니다
肖像畵는 勿論 업다.
空氣가 얼어붓는 날
哲學에 노오란 腦漿水는
땅에 쏘다 젓다
空氣가 얼어붓는 날
哲學에 노오란 腦漿水는
땅에 쏘다 젓다

한 生命

한 憧憬

한 影像

未知數의 적으마한 手段이다!

眞皮를 벗고 어름에 드러도 조타

劇藥을 먹어도 조타

다만 一九四〇年의

(EMETERY)는 願치도 안는다.

너는 世紀가 『典型』에서 現實을 求할 때

萎縮을 하는 恐怖心을

마음속에서 깁히 던지라.

『만선일보』, 1940.4.27.

송수천(宋秀天) 편

너와 나

玉아!
너와 나는 몹시 갓갑다
그러나 몹시 멀다
봄!
嫩绿色饗宴을 아뢰는 가버。
은방울소리 내 귀에 간지러운
波紋을 그리는 이 무렵
네 다사로운 觸手
내 가슴에 다흘 듯 말 듯
내 마음의 鼓動소리 내 귀에 들릴 듯 말 듯

그때 너는 속삭이엿다.
나는 갈매기
너는 바다
내 너를 愛撫하면
네 나를 안어주고
내 때로는 너를 떠나

蒼空에 나래를 피고
곳 네가 그리워 靑波에 내리고
네 때로는 나를 멀리 해도
곳 나를 반기리라-고
나는 말햇다.
-너는 비둘기
나는 살구나무
네 내 가지에 푸른 꿈을 내리드리면
내 꿈이 깨칠까 조심하고
네 내 꼿 속에 붉은 幸福을 노래하면
내 네 幸福을 香氣로 풍겨주리……
그러나 그것은 짧은 동안-
내 꼿을 일코 입(葉)을 일흔 뒤
매서운 바람이 나를 울리면
너는 이대로 가고 말거다
나는 오로지 너를 그리며
이듬해 봄 너를 기대리지만
네 다시 제비처럼 옛자리를
오리라고 나는 못 밋는다。
나는 못 밋는다-고。
아무래도 조왓다
너도 벙어리
나도 벙어리
그러기도 햇다.

玉아!

봄!

嫩绿色饗宴을 아리는

가벼운 방울소리

내 귀에

간지러운 波紋을 그리는 이 무렵

네 다사로운 觸手

내 가슴에 다을 듯 말 듯

내 마음의 鼓動소리

내 귀에 들릴 듯 말 듯

너와 나는 몹시 갓갑다

그러나 몹시 멀다。

-B의게-

『만선일보』, 1940.5.21.

송철리(宋鐵利) 편

雪夜

長安을 고요—히 품은
어둠의 나래 위에
지는 배꽃인 양 함박눈
소북소북 싸이는 이 밤

故鄕의 초가집 첨하미텐
참새의 꿈이 오손도손
오히려 다사로울테고
그 女子의 寢臺엔
薔薇色 微笑가 한창 소곤소곤 숨박꼭질할 테고…….

그러나 버림바든 孤兒처럼 울며 떠난 길손은
이 밤따라 더욱 외로워 외로워
가을비 마즌 귓드람이가티
함초롬—히 哀愁에 저젓는데

어데선가 흘러오는 머—ㄴ 胡弓소리

고즈낙—히 끈힐 듯 말—듯
피어린 追憶을 스스로 불러
녹쓰른 마음의 鍵盤 위에
조용조용 간얼픈 悲曲을 치이나니

구진비 나리는 밤 廢家의 문풍지처럼
매마른 가슴은 파들파들 떨리고
끼고 안즌 양철화로 붉은 숫불 위엔
더운 눈물이 방울방울 타고……

차라리 고달픈 放浪의 軌道를 버서나
함박눈 마즈며 마즈며
먼—山 노픈 峰 호젓—한 고데 이르러
사르—시 하얀 化石으로 변하야
故鄕 하늘을 바라보며
永遠히 그 女子를 그릴 수 잇는
思君岸이 되고 시픈 이 밤
아-아- 思君岸이 되고 시픈 이 마음
—삼가 長白 C兄께 드림

『만선일보』, 1939.12.4.

鷹獵

銀嶺 노픈 峰에 매 밧고 우뚝 서서
萬頃雪波 굽어보며 白頭北風 드리킬 제
壯丁의 무쇠가슴 뚤리는 듯 하여라

꿩 잡아 질머지고 눈바다를 헤엄치고
酒幕집 차저들면 明月 淸波 李太白
哀愁憂盃 이슬소냐 사내노름이 아니냐

『만선일보』, 1939.12.18.

庚辰元旦

— 삼가 이 땅의 겨레들께 드리노라

저무른 己卯

동터온 庚辰

暗黑은 紙灰가티 사라지고

曙光은 噴水처럼 퍼지고

모-든 怨望과 後悔는 軟弱한 晩歌를 읍조리며

永劫의 墓地로 굴러갓고

왼―갓 希望과 計劃은

힘찬 詩를 을프며

光明의 神像, 金鳥의 周圍를

한 박휘 돈 뒤

새로운 時間은 分水嶺을 넘어

힘차게 흘러오다!

땡!

땡!

宇宙의 始業鐘聲이

우렁차게 들리는 듯

푸른 하늘이 보기 조케
미여지게 千줄기 萬줄기
珊瑚色 빗줄(光線)을 그으며
붉은 太陽이 끌어터진다

보라!
光明에 벅찬 天地를!
生氣에 춤추는 萬像을!
들으라!
千兵、새 힘
萬馬、새 일의
기운찬 進軍喇叭소리를!
億兆生命의 힘찬 부르지즘을!
그、곳
새 길 새 秩序 새 活動 새現象을
왼누리의 人間에게 膳物한
宇宙의 억센 微笑이고
그、곳
새 피 소용도리치는
萬有心臟의 붉은 鼓動소리나니

이 땅의 父老들아!
이 땅의 兄弟들아!
이 땅의 姉妹들아!

"力"의 활(弓)을 놉이 들어
저一太陽에 살(矢)을 쏘라!
그、흘으는 붉은 피는 피를 드리키고
모두 다 함께 팔뚝을 것자!
모두 다 함께 새 스타一트에
나서자!
모두 다 함께 步武를
갓치하자!
그리하야
庚辰 이해의 새 機械를
故障 업시 들리는
튼튼한 일꾼、씩씩한 勇士가
되지 안흐려는가?

저一기 머一ㄴ 山斷崖
늙은 소나무
한층 더一 푸르러 뵈고
大空에 圓舞하는 수리개 나름
몹시도 기운차 보인다。

오 오一
莊嚴할손 새 날 새 아츰이여!
-庚辰 元月 十三日-

『만선일보』, 1940.1.17.

故鄕[22]

달빗 파—랏코
밤 애련—도 하다.
울고 떠난 고장이건만
마냥 그리워 그리워
繼母 차저가는 庶子처럼 마음 조이며
이 밤 사르—시
나는 고향의 품속에 숨어들다.
너무나 悽慘한 風景
이러케 변할 줄이야—
푸른 기름 흐르든 山田野田엔
욱어진 雜草 거칠고
들菊花 꺽으며 놀든 동산엔
검은 무덤이 촘—촘
油ㅅ불 도두고 傳說익든 두셋 집터엔
여우 처량히 목노아 울고
암닭 색기치든 닭의 장위엔

22 宋鐵伊로 서명, 연구에 의하면 宋鐵伊는 宋鐵利의 오식이라 한다.

부헝이 부—헝 부헝 소리 놉혀 울다니
空虛와 憂愁에 함초롬—이 저저
마도로쓰의 파이푸 연기처럼
짜릿한 한숨 마시며 뿜으며
하—얀 박꼿 필 무렵
그 女子와 珊瑚구슬 박구든
우물가를 지내다
나는 허겁지겁 숨고 말다.
애기 업은 어머니 우물푸는 안악
그는 벌서 남의 안해엿다는 걸
내 일즉이 모른 바 아니엿지만
그럿치만
아— 아—
새삼스레 피 타는 듯
나는 괴로웟다
나는 괴로웟다
四界 포근—히 잠들고
마을 고요—히 꿈 꾸는데
마음 어린 도적처럼
초조하게 망서리다
종내 空虛만 안고
이 밤 나는 故鄕을 나오고 말다.
만일 메마른 얼골에 筋肉 굿지 안엇드면
내 故鄕의 廢墟에 屈屈을 뿌려스리라

아— 아—

故鄕은 苦鄕이런가?

故鄕은 孤鄕이런가?

『만선일보』, 1940.3.25.

嗚咽[23]

山 몃 넘엇든고?

물 몃 건넛든고?

險路 數千里

候鳥처럼 차저와 보니

꿈에까지 그리든 옛 복음자리

꿈에만 그릴 수 잇게 될 줄

내 어이 아러스랴!

내 어이 아러스랴!

밤 深山가티 고요—한데

마음 都心처럼 소란타

닙 뜨는 숩속 버리고

꼿 피는 셤(島) 차저 옴겨간 파랑새

孔雀은 놀든 곳에 깃(羽) 남긴든데

그는『로—즈』와『키—쓰』튼 곳에

꼿닙 하나 남기잔엇고나

이럴 줄 稀微하게 짐작햇거니

---

23 宋鐵伊로 발표되었다.

내 왜 왓든고?

내 왜 왓든고?

冷氣 슴이는 酒幕에서

외로히 등불 도두는 마음

이 무거운 밤 밀니기 전

도적인 양 사라저야는 나그네

아—

밤 深山가티 고요—한데

마음 都心처럼 소란타。

『만선일보』, 1940.3.27.

春宵

그의 피ㅅ줄은 氷脈처럼 얼어버리고
그의 꿈 쪼각은 骸骨가티 흐터지다.
終熄된 地火마냥
싸—늘한 白鳥의 墳墓.

먼 追憶이 어둠에 이끌려
사르—시 東風을 타고 차저와
고즈낙—히 다정히 똑똑똑
애닯은 녹크를 하엿지만
勿論 그는 또 아플 열어줄리 업섯다。

낡은 詩帖에 붉은 줄을 그으며 그으며
그는 중얼거릴 뿐이엿다。
—내 차라리 天痴리라
누연—한 들판
금잔디 푸르리! 푸르리!
푸른 금잔디에 이슬이 맑어! 맑어!
어느 愛國志士의 血痕처럼

옛날은 방울방울 붉어오르련만

녹쓰른 銀방울인 양
그의 마음은 빗을 일엇다.
소리도 일엇다
回想도 몰으고 憧憬도 몰랏다.
그의 人生은 地震 지나간 마을
그의 靑春은 悽慘한 露宿
꺼진 情熱엔 재(灰)만 헛날리고
문어진 希望엔 廢墟가 서글프다.

無心한 밤은
靜寂의 洞窟 속으로 감겨만 드는데
먼 追憶은 갈염도 안코
조용—조용—뚝뚝뚝
애닯은 녹크를 또 하엿지만 또 하엿지만
勿論 그는 또 아를 열어줄리 업섯다.
거미 그물친 天井에
凝視의 파리를 날리며 날리며
그는 연상 중얼거릴 뿐이엿다
—내 차라리 차라리 미이라리라—

(四. 五)

『만선일보』, 1940.4.15.

내 만일 변할 수 잇다면

내 만일
한 마리 杜鵑새로 변할 수 잇다면
호젓—한 님의 窓박게서
간열피 울어나 보리다
허나 그건 우수운 일
님은 돌멩이를 던질 터임으로
내 만일
한 송이 百日紅으로 변할 수 잇다면
조용한 님의 후원에서
붉고 붉은 피나 뿜어보리다
허나 그건 어리석은 일
님은 가위를 들 터임으로

내 만일
한 오리 향기로운 微風으로 변할 수 잇다면
날마다 님의 빰과 머리카락을
사르—지 사르—지 만저주리라

그리고

한 개 푸른 별로 변할 수 있다면

밤마다 님의 단꿈을

고히 직혀 주리다

그래도 그래도 실타면

아—아

나는 한 쪼각 하이얀 뜬구름으로 변하야

끗업시 끗업시 흘러 가리라

님은 나를 우섯지만

나는 님을 울 수도 업슴으로—

『만선일보』, 1940.4.19.

묻지 마라 내 事情

별 빛츤 꺼젓다
달은 숨엇다
구름 낀 눈바다에 밤이 들어 침침한데
불 붓는 가슴 안고 흘러오는 사나이
갈 길을 뭇지 마라 정처 업다 타국땅
바람은 매웁다
길은 사납다
거치를 눈파도에 지향조차 아득한데
터지는 울분 참고 홀로 가는 나그네
온 고들 뭇지 마라 한숨 진다 먼 나라
마음은 쓰리다
몸은 저리다
고달푼 눈날에 사람마다 낫서른데
밤 주막 차저 들면 취해 우는 젊은이
까닭을 묻지 마라 귀치 안타

七.四.五.

『만선일보』, 1940.5.2.

可憐

소녀야!
가슴에 시드는 垂蓮인 양
너는 애처로웁다
너는 애처로웁다
맑고 깁픈 네 瞳子의 湖水ㅅ속에
파들거려야 할 希望의 송사리떼는
그림자도 업고
殘忍한 哀愁만이
浮萍처럼 떠도누나 떠도누나.

가아만 가만 뽑는
네 이야기의 실오리에
가느다란 하소가 哀愁가티 슬프고
네 도옹그란 얼굴 탐스러운 뺨에
응당 붉어야 할 薔薇는
벌서 짓단 말이냐?
世上을 咀呪하는 사아늘한
怨恨만이

재(灰)처럼 히고나!

터도 못 보고
펴도 못 보고
너는 꽃봉오리로 그만 지야 하느냐?

少女야!
너는 가엽다
너는 가엽다
運命의 생장 속에서
蒼空을 우는 카나리아처럼 -
四. 十四 淸津서

『만선일보』, 1940.5.7.

六月

님이여!
그 綠色 커—텐을 거더 올리고 窓을 열어
六月의 하늘을 만저 드리라!
六月의 薰風을 불러 드리라!

내 마음의 파랑새
니젓든 노래를 차저 불고
거치러진 깃(羽)을 맑은 바람에 싯츠며
놉피놉피 大空을 지치려
날개를 펴랴 하나니
날개를 펴랴 하나니

님이여!
그 綠色 커—텐을 거더 올리고 窓을 열어
어서 六月의 하늘을 만저 드리라!
어서 六月의 薰風을 불러 드리라!
- B의께 -

『만선일보』, 1940.6.12.

님의 頌歌

푸른 바다의 고요—한 港口!
님의 마음은 고요—한 港口입니다。

내 배, 밝음을 실고 떠날 때면
希望의 微笑로 바래주고
내 배, 어두움을 실고 도라올 때면
安慰의 歡笑로 마저주고……

내 배、돗을 나리고 고달픈 旅愁에 늑길 때면
내 배、키를 거두고 괴로운 疲困에 울 때면—
다정한 속삭임으로 怒濤에 시달닌 마음 달래주고
부드리운 손길로 暗礁에 부다친 傷處 매만지주는 고요—한 港口!

내 배、머—ㄴ 航路를 定處 업시 허메다도
언제나 도라와 定船하는 고요—한 港口!
내 배、사나운 海波를 끗업시 지치다도

언제나 차저와 安息하는 고요한— 港口!

님의 마음은 고요―한 港口입니다。
님의 마음은 고요―한 港口입니다。

『만선일보』, 1940.6.27.

山陽地

햇볕치 병아리 솜털처럼 보드라운 山陽地에
다방머리 도토리나무 한 그루
도토리나무 아래 옴푹 파 노흔 노—란 흙봉당 자리는
에미르 딸아 나왔든 귀여운 山羊의 색기
딩굴며 재롱부리다 간 곳이라고
도토리나무 비눌에 얼킨
하이얀 등털(背毛)이 말해주는 듯
麝香노루 지나간 자국인 양
한낫의 山陽地는 향그럽소。

『만선일보』, 1940.8.21.

山

九佛七仙이 道닥것다는 곳이던고?
峰우리마다 神秘에 푸른 산! 산!

山! 꼿가루 품은 嶺바람을 따라
구름은 香氣가티 떠도는데
靈驗한 精氣의 呼吸은 聖스러운 暗示처럼 무겁고……

오—오—
九佛七仙이 道닥것다는 곳이던고?
골짜기(幽谷)마다 黙禱에 깊픈 山! 山! 山!
-庚辰盛夏 茂山嶺을 넘으며-

『만선일보』, 1940.9.12.

追憶

실안개 白蛇가티 감도는 嶺 넘어
이슬에 저즌 하늘이 碧玉처럼 빗나든 그 아츰
나는 羊떼를 따라 버들 피릴 불며 불며—
오불꼬불 오솔길 돌아돌아 湖水ㅅ가를 지나가고
少女는 풀포기 맑은 香氣—ㄹ 차 풍기며 풍기며—
오불꼬불 오솔길 돌아돌아 湖水ㅅ가를 지나오고
그리하야
우리는 서로 만나섯다。
少女는 아름다운 머릴 다소고—ㅅ이 숙이고
손에 핀(쥔) 문둘네꼿만 굽어 보앗고
나는 羊떼 헤여지는 줄도 모르고
애꾸진 양버들가지를 휘여 뜻덧고…….
『……』
『……』
少女도 벙어리。
나도 벙어리。
그랫지만—
우리는 수집은 幸福을

葡萄처럼 먹으며

波紋 한 번 그려 못 본 고요의 연못 위에

두 송이 蓮꽃츨 붉히며 섯다。

세월은 원망스러워

어느듯 한 봄이 흘러가고

한 봄이 흘러온 오늘

실안개 白蛇가티

『만선일보』, 1940.10.8.

미도리

鄕愁가 녹쓰른 녹렁크 속에
童骸마냥 굴너온 미도리 한 개피。
고히 감은 傳說채 피여 물고
고요―히 紫煙의 年輪을 헤어노라면
감실감실 눈압헤 떠오르노니
푸른 바다와 힌 沙場
그리고 비좁은 거리와 커다란 구두들。

그 少女의 싼타주치아는 어데로 흘러갓기에 들리지 안흐며
그 피에로의 붉은 帽子는 어데로 날러갓기에 보이지 안흘꼬。
머―ㄹ리 葬送의 行列이 요지경 속처럼 어지러운데
어느 文學靑年은 비듬 끼인 머리ㅅ빗을 흘트며 毒酒만 마시고……

미도리!
뽀―얀 재가 에처러운 건 아니다만
꼭 異國의 孤兒처럼 가여워 가여워
내 삼가 너를 한 오리 線香으로 사루나니
花粉처럼 가혀히 날리가거라! 故鄕으로―

너는 故鄕으로 가거라!

- 旅路詩抄

『만선일보』, 1941.1.21.

爐邊吟[24]

雪夜

나의 마음은
어린 검둥 개리뇨
늙은 어머니(瞑想)와 함께
마냥 함부로 나딩구리야 견디는
밤
함박눈 나리는 밤

24 『만주시인집』에 같은 제목의 시가 있는데 그것은 『만선일보』(1940.1.20)에 게재된 것으로 내용이 다르다. 원래 제목은 『爐邊雜吟』이다.

追憶

하—얀 눈 위로
외사슴 울고 간 자욱마다
언 달빛이 파아라케 멍든다는 밤이면
까닭도 업시
나의 追憶은 슬픈 부헝새
슬픈 부헝새

爐邊

옛날이 녹쓰른 화로에
그윽한 향ㅅ불도 피여
수염보다도 힌 산신(山神)을 모시는
소리 업는 이야기

『만선일보』, 1941.12.15.

南鵬南飛

兄弟여!

姊妹여!

그 椰子樹 그늘 어우러진 커—텐을

거더 올리고

窓을 열어

南邦의 하늘을 마져 드리자!

南邦의 薰風을 불러 드리자!

우리 十億의 붉은 가슴속에

고—히 잠자든 鵬! 大鵬! 大鵬!

모드다 어젓은 외우침을 차지물고

오래— 드쉬임에 오히려

서슬 푸른 깃과 깃을

맑은 바람에 싯츠며

노피 노피 大空을 저치레

날개를 폇도다

날개를 폇도다

그럿타!

南鵬!

南鵬!

오오 兄弟여! 姊妹여!

그 椰子樹 그늘 어우리진 커—텐을

거더 올리고

활작 窓을 열어

南邦의 하늘을 마져드리자!

어서 南邦의 薰風을 불러드리자!

『만선일보』, 1942.8.3.

신동철(申東哲) 편

능금과 飛行機

1 11시의 高級豫感들은 능금의 文明을 위하야 오늘 아침 비행장에서 重大한 式을 擧行하다

2 發散하는 비행기 배행기의 웃음 속에 丁夫人은 리봉을 심는다

3 비행기의 優生學

4 아카시아 욱어진 蒼空으로 손수건처럼 나붓기는 宇宙가 온다 오리옹座의 看板이 바뀐다. 펜키 냄새 나는 藝術家들은 바람이는 軌度에서 두껍이처럼 도망친다

5 肉體우우로 달리는 템포에서 아담의 原罪가 소—다水를 마시는 순간

6 추—립프의 海峽에서 병든 新聞들이 열심히도 젊어지려고 한다

7 줄다름치는 食慾 꺽구러지는 空間

8 푸른 입김 속에 여러 아침들이 몰려든다

푸른 口腔 속에 여러 비행기들이 몰려든다

9 다이나마이트製 太陽은 文明의 進化를 위하야 爆發 폭발 폭발한다

10 비행기의 에프롱에 피로한 능금으로 해서 거리의 少女들은 輕快하게 미처난다

11 證明—그것은 새로운 健康法이다

12 證明—그것은 새로운 生殖法이다

13 證明—그것은 새로운 十字架다

『만선일보』, 1940.3.3.

신상보(申尙寶) 편

손 (외1수)

후연이 밝아질 뜻
기달임이 컷기로
찬 마음에 진서리 끼기로

마른 닙술에 춤을 축여
쓴 담배 한 대 무심히 뿜는 내 손등을 본다.

달빗

발끄테 고요히 채우난 달빗
그림자 쓸쓸히 어딘가 외롭다
내 무슨 마음이기에 달빗처럼 차거울고

『만선일보』, 1941.12.12.

土城을 넘으며

꿈가티 지나간 머지 안흔 過去
깨여진 기와 한 장에도 당신들 내음새가 풍기오
호미 광이 사금파리 쪼가리 한 쪽에도
어제ㅅ날 高麗城을 타고 넘은 손님이요
눈먼 망아지 썰매를 메고 도는 한 낫
키돌로 좁쌀치는 어머니도 잇소
여기 손바닥만 한 湖水에 옛날이 보이오
등잔 미테 波文 이약이가 지금도 들리오
沃野千里 바라만 봐도 배 부르든 그때 그랫소
땅 파고 일 잘 하기로는 이 땅에 第一이엇소
초저녁만 되도 무시무시허든 그때
안해 딸름이 병아리처럼 떨어
지나간 呼吸이요 무시무시한 이약이요
土城박 鐘소리가 자즈러는 몸살에
그래도 해 뜨면 광이와 호미가 미듬직하게
안해에게 點心밥을 부탁하고 일터로만 갔소
오 그때 무섭든 때도 살엇소
○○○ ○○○ 새 날이 왓소

소 가튼 그 힘으로 마음껏 파고 힘껏 팟소

아들딸 놋코 복 밧고 千萬年 삽시다

그렇소

그렇소

地平線 넘어로 새 날이 소리치고 오는 오늘이요.

五. 二九 延吉

『만선일보』, 1942.6.8.

薰風千里

一. 바람

하날은 머—언 太古가 그립소
푸르러 변할 줄 모르는 節操가 장하오
여기 백운을 모라 旅情이 새삼스럽게
호올로 호올로 千年夢이 시드른 百姓이요。

二. 帽子

항상 존중히 모시기로 머리보다 중하오
그러나 한번도 고집을 부릴 줄 모르는 온순한 태도요
언제나 나와 가치 것는 그도 쓸쓸한 異域의 손님이요
때로 壁에 걸린 쓸쓸한 모양 나도 외로워지오。

『만선일보』, 1942.6.15.

심연수(沈連洙) 편

大地의 봄

봄을 이즌 듯하던 이 땅에도
蘇生의 봄이 차자오고
녹음을 버린 듯이 얼엇던 江에도
얼음장 나리는 봄이 왓대요
눈 우에 마른풀 뜻던
불상한 羊의 무리
새 풀 먹을 즐길 날
멀지 안엇네
넓은 荒蕪地에단
蜃氣樓 宮을 짓고
새로 오신 봄님마저
잔치노리 한다옵네
옛 봄이 가신 곳
내일 밧비 못 봤길래
올해 오신 이 봄님은
누구더러 보라 할고。

강덕 七、四、一 龍井에서

『만선일보』, 1940.4.16.

旅窓의 밤

길손이 잠 못 이루는 이 한밤
胡窓에 희미한 등불
더욱이나 서글퍼요
갈자리 룸 눈에는
旅歷이 찔어잇소
칼자리 난 木枕에는
旅愁가 몇 천 번 베여젓댓나
지난 손 화김에
애꾸지 탄 담배 꽁다리
구석에 타고 잇서
마음 더욱 설레운다
어두운 이 밤길에 달리는 旅中
왈그덕 떨그덕
胡馬의 발굽과 무거운 박휘
아내 마음 밟고 굴러가누나.
-강덕 七、四、二〇 龍井에서

『만선일보』, 1940.4.29.

大地의 暮色

西天이 남긴 노을
어둠에 저서 울고
陰氣 품은 저녁 바람
땀 배인 몸에 스며든다。

저므려는 大地에
짙어가는 暮色이
어둠의 幕을 들어
東쪽 하늘 덮어 온다。

오! 大地여
거룩한 그대여
어둠 속에 숨으려는
크고 검은 그 얼골을……
　- 강덕 7년 4월 5일

『만선일보』, 1940.5.5.

길

온 길에 남긴 자최
보이느냐 그 녯날
낫선 곳 오는 동안
한 사람도 못 보앗네。

압길이 험한 줄
먼저부터 알엇서도
지난 길 그 가틀 줄은
처음에는 몰랏서라。

가더냐 이 길로
어떤 사람 몃이나
자최마저 히미하나
더 알바 업더라。

온 길은 몃 천리며
갈 길은 몃 만리냐
가다가 다 진해도
쉬여말진 안으리라。

『만선일보』, 1941.3.3.

人類의 노래

쉴 새 업시 밀려치는 사나운 물결
陸地의 테가ㅅ을 깨물어 뜻는
마즈막 發惡을 그대여 보는가
北極의 氷原에서 白熊이 울고
極光이 輝煌하는 雪原에서
北으로 北으로 避難가는 에쓰키모를
누구의 힘으로 挽留할소냐

얼부프는 地軸에서 용가름트는 소리
地魂이 바질 듯 震動하고
식어드는 兩極에서 찬 바람이 일어
微溫이 殘存을 삼기켜 함을
그대여 참으로 알고 잇는가
그대여 最後의 胜利가 胜利라면
胜利를 못 가질 것 그 무엇이냐
地熱이 식으면 달굴 수 잇고
地軸과 軌道가 破盃되면 바꿀 수 잇스리니
地球星이 宇宙間에 잇슬 때까지는

우리의 心熱을 輸熱할 수 잇고
人類의 歷史를 살릴 수 잇슬게다。

『만선일보』, 1941.12.3.

안형준(安亨浚) 편

氣象圖[25]

聖書의 슬픈 章句를 외여도 보고
濁酒 희부연 液汁에 목을 추겨봐도
푸른 琉璃인 양 意識은 맑게 타올라……
枯渴한 氣體 끗에서 넉슬 안고 몸부림치다

四海 水平線 맑게 안즈면
指向 업는 目標들이
떳다 까란젓다 노닐어……
내 적은 木船은
救助船도 업는 밤바다에 올라
거품을 쥐어뜻는 검푸른 波濤를 타고
오—어데로 가려는 信號이냐!
周圍의 哭聲을 들으며 노피 올으는 氣象圖이 하나

---

25 신춘문예 시부분 가작이다.

信號旗幅이 나붓기기도 전
佛念 잔잔한 音響이 지워지기도 전—
羅針盤 指針은
氣象燈을 달고 推移되다
굵은 금 가는 금의 航路를 그으며
바다 위에 地圖를 짜리라。

紺籃色 고—흔 바다 위
靑色紙 푸른 地圖 위
赤 黑 靑 黃 白……
色彩線이 물들기 전
單調로운 境界의 地圖를 그리자!
漂泊된 넉슬 깃드리자!

『만선일보』, 1940.1.10.

啼鳴呪詞

其一

입술을 깨물며 깨물 두터운 沈黙 깨여져 매마른 가지 끗마다 파—란 意欲의 血花 피여나고……

喪鳥야!

울부짓는 悲鳴이 心臟을 파먹어도

오—火焔情熱 녹아넘는 도가니 속엔 病든 思念이 寄痾도 곱아—

날개 돗처 血海 위에 맴돌아

그리운 사람아!

呪詞……정녕 弔文音經 되여 귀ㅅ전도 아퍼지면

아! 내 일흠 송송 혓바늘을 뚤으며 蒼空을 날너날너

피에 저린 骨粉魂灵을 업뿌리노라。

其二

火藥 먹은 듯 눈알이들아!

骨髓 마디마디 불꼿 다일 아푼 痕迹이 남어

香불 들고 祭壇 압페 나스면 呼吸 싸—늘한 氣流에 燭불도 꺼저 마음

信號灯이 오르나리고……

까아만 밤 白紙로 고위양이 눈이 되다

고—흔 悲哀야?

毒酒混濁한 液汁에 醉하야

感覺이 말너—

—죽엄은 업다.

太陽이 病 들어 내 일흠

冠 쓰고 가슴속 墓碑를 꼬자도

喪服가시네야!

푸른 湖心 젓가슴에 屍體가 눈 떠

圓舞 狂舞血官을 돌아

呼詞이 업서도 죽엄은 업서……

呪詞 내 일흠아!

血袋쏙 피가 말으면 墓碑는 푸른 꼿

花瓣마다 血流가 샘 솟아! 하늘을 쏘아 쏘아!

『만선일보』, 1940.9.1.

염홍운(廉鴻運) 편

驛名板

네 表情은
언제나 슬프다

오날도 섯고 來日도 서 잇거라
黃昏의 無蓋車에 내 運命을 실노니
남어지 푸념은 後日 다시 만나하자

車票만 손에 들면
어덴들 가리라만
傳送人 하나 업시 어떠케 가라느뇨

사랑도 두고
원수도 두고
알몸둥이엔 무거운 嗚咽을 안고

구름이 일고 날세가 嶮하련다
離別이 嘆息하는 날

期約을 盟誓하는 날

歲月도 가는구나

모도 다 가는구나

너만 홀로 남어 風霜구지 살겟구나

『만선일보』, 1940.12.25.

월향(月香) 편

初雨

첫 비 오신다
무엇이 수집어서 밤을 차저 오시는지
銀실로 수노은 치마폭 여메 잡고
꼿씨 뿌린 마당 우에
조심조심 오신다。
洞口박 언덕 우에 개나리 필 무렵
댕기만 풀고 매며 울고 떠난 그대의
하이얀 손길가치 새밝안 댕기가치
사냥스레 애꾸지게 조심스레이
꼿씨 뿌린 마당 우에 첫 비 오신다。
연지 찍고 가마 타고 떠나 가신 千里길에
勿忘草 입이 트고 不如歸 우는 밤
가신 길이 千里면 오실 길도 千里ㅅ길
가슴에 손을 언고 그대 幸福 비는 밤
꼿씨 뿌린 마당 우에 첫비 오신다。

『만선일보』, 1940.4.9.

윤군선(尹君善) 편

光明의 窓

— 淑에게 보내는

淑과 나와
맑고 연한 하늘을 고히 넘어
異邦의 거리에서 두 마리의 水族館을 세웠다。

애솔바테 넘어지는 太陽의 손짓에
黃昏이 鄕愁를 불러오는 무렵
먼—故國의 體溫이 숨 보아 주고

낫서른 대륙의 아들、딸 되여
未來의 期待를 그려 꿈길에 千萬里
光明의 바다가 이 땅이 아니러뇨。

淑과 나와
빗바람에 무더진 同胞의 白骨 우에
芳香이 그윽한 한 송이 장미를 심그고
세 번 손 드러 悔恨의 눈물을 울린다。

구름 우에 아드윽한 벌판

막다라 다흔 삶의 殿堂에

光明의 窓을 彫刻하는 날、날、날。

나는 그만 故鄕을 부르리라。

『만선일보』, 1940.2.1.

마음

봄바람 無心하게 오가는 길에
연붉은 열아홉 꽃은 젓노라
그대 맘 마음이라 미든 그날을
지금은 구름이라 웃고 맙니다。
이 몸은 버들가지 그대는 바람
바람 부는 봄 마음은 변키 쉬운 마음
그대맘 마음이라 미든 그날을
지금은 바람이라 웃고 맙니다。
人心은 변키 쉬운 물결이어니
물결 가튼 그 마음이 오랠 것이랴。
그대맘 마음이라 미든 그날을
지금은 연기가태 웃고 맙니다。
흘러가는 물 우에 떠가는 꼿닙
웃지 마소 꼿인들 눈물 업스랴。
그대맘 마음이라 미든 그날을
지금은 꿈결이라 웃고 맙니다。
드날제 여흘가의 모래 발자국
지금은 눈물로서 다시 보노라。

그대맘 마음이라 미든 그날을
지금은 한숨이라 웃고 맙니다。
살ㅅ트리 그리워서 못 잇는 情을
울어서 잇는다면 오작 조흐랴
그대맘 마음이라 미든 날을
못 풀어 짤은 밤을 길게 샘니다。

『만선일보』, 1940.3.3.

無題

보리밧 머리에 수양버들
치마끈 입에 물고 눈을 감흔
후메山 물방아깐에 사랑을 두고
달래江 여흘에서 옛날에 우오
귓돌이 우는 八月 밤은 잛대도
님을 그려 우는 밤은 길기도 하오
세월 네월 열두 매듭 다 풀리도록
울며 보낸 그 마음은 풀릴 업네
초생달 갈밧 쏙에 떠러진 땡기
죽고사 저고리에 얼룩이도 젓소
수십어 다 못한 말 죄라시나요
알고도 풀어 못 준 죄가 더 커요

『만선일보』, 1940.3.28.

茶房"新宿"

茶房"新宿"은 나의 파—토나—다
내가 달니는 날 나의 코—취다。

흐르는 音樂이 銀구슬을 입고
팔 벌린 南邦가시내 자락자락에 밤이면
내 마음 香긋한 噴水에 젓는다。

가시 도든 바람도 업다。
階級도 업다。
나의 히—트는 에덴의 樂園에서 安息하다。

소파—에 몸을 파뭇고
날리는 煙氣 속에 머언 넷날이 돈다。
茶ㅅ잔 속엔 떠나는 나의 얼굴이 잇다。

모두다—주름살을 편 얼골들
모두다—눈을 감은 얼골들
모두다—인생을 밝히려는 얼골들

茶房 "新宿"은 나의 파—토나—다。

壁에 고흔 風景을 심근 따스한 搖籃이다。

1941년 1월 1일 於咸興

『만선일보』, 1941.2.8.

고양이

天井의 把守兵
벌죽이 귀가 밝다。

두 눈알엔 언제나
貪나는 마음에 불이 붓는다。

손톱은 捕獲網
깍아 노흐면 멀쩍한 白痴

낫에는 오둑히 안자
오늘 밤의 戰略圖를 그리고

先祖때부터 개와 마조 서면
肝膽을 세우고 허리를 후린다。

살짝 뛰여 넘어 재빠른 壯한 데가 잇다。
잡으면 노리다가 죽여먹는 悪習이 잇다。

『만선일보』, 1941.2.25.

孤境

二月 밤 음성이 고요히 풍기는데
나의 官能은 차가운 壁을 업는다。

히부여한 심지를 다시 돗구고
하얀 조히 우에 색여지는 나의 地球。

나와 내가 다투면
그 우에 새로운 내가 呼吸한다。
머리속엔 數만흔 얼골이 거러간다。

位置를 밧굴 줄 모르는 실루엘이 무서워
燈을 흔들엇드니
그 속에 내가 醉하다。

十里 박 車가、가까히 달니는 소리를
쪼츠려는 건넌 마을 개 짓는 소리。
말은 정녕 업고
귀를 파는 성냥개비마자 던젓다。

이윽고—
낡은 書齋에는 글소리 끈허지고
또 곱꺼치기 老翁이 모아 드렷다。
분명 잠 업는 밤을 새기 위하야。

이런 밤은 人生을 사양하고
길을 떠나는 것이 조흐리。
神韻의 길을—。

『만선일보』, 1941.3.11.

牧場의 午後

타다 남은 구름 한 송이 언덕에 걸리고
언덕은 물결치는 風景 우에 걸리고
한나절 牧場은 조으름 속에 드러누어
쓸쓸히 羊떼의 꿈결에 고달프다
蓮華꽃 할미꽃 자리를 짯기에
언제나 羊族은 승강을 몰랏기에
판자가 둘러간 白壁이기에 아름다웁고……
층층대 푸른 바람에 펄럭이는 하얀 旗ㅅ폭은
地平線에 풀을 뜻는 羊의 무리에 평상을 보내는 表示
黃昏이 떠러지면 잠구엇든 門은 열리고
도라오는 習性을 하나하나 點檢치는 從僕마저
뉘도 업는 한적한 午睡에 노긋노긋 조은다

『만선일보』, 1941.11.14.

원두막

모단쑥 배쫑이 날기날기 싱하는 두던에 오르면
널버진 마을의 俯瞰圖를 짜볼 수 잇고
구름이 거품을 짜며 재우에 둥둥 갈 줄을 모르면
철난 가시내 꿈처럼 실바람 솔솔 땀을 거덧소
간밤에 山神이 울드라는 하라버지 이야기와
그저 외쑨이 조하야 孫女댕기를 산다는 구리전과 은전 소리와
쪼록쪼록 깨무는 果肉맛도 얼사 조치만
마음을 여러주는 후원한 風景부터 조치요
歲月은 마음보다 한 뽐이나 일르고
개아미 土城에서 자리를 툭툭 털면
여름내 한적한 원두막 四柱엔
냄비를 태우는 호래비 살림의 八字가 달렷지오。

『만선일보』, 1941.11.15.

윤재도(尹載道) 편

水仙花

어여뿐 단장을 모—다 이저버리고
水仙花는—

그윽한 달빗츨 피하여
외로운 修女처럼 자라거늘

神의 조그만 作亂은
永遠히 色彩 업는 運命을 지녓고나

눈물 서린 네 가슴을 알어보는 까닭에
이 밤엔 조와 愁心에 잠기리니

水仙花야—
나는 몰래 그늘에다 키우리라

『만선일보』, 1941.2.20.

윤지현(尹知鉉) 편

國境의 밤

사람 자최 고요히 잠든 밤
國境의 마을 개 짓는 소리에
수비隊의 불만 깜박거리며
멀어진 마음 마음을 추려 흔들린다。
國境의 방어의 눈 속에
嚴密히 직히여지여
刺客의 밤길 넘을 길 업서
怨恨만 히여잡고
宵夜는 깁허간다。

1월 4일 밤 國境의 마을에서

『만선일보』, 1940.2.6.

憂愁

금음밤
湖心가치 無限히 캄캄하다
孤獨에 잠긴 永遠한 憂愁
定處 업시 달리는 心事
窓紙에 스쳐지나는 우난 물새소리에
어린 영!
허비고든 傷處의 苦惱를 忘却식히려고
옛날의 追憶의 물결를 겨듭여 안고 도는 悲哀의 詩人
또한 그대로 暗黑의 바닥으로 가랴。

『만선일보』, 1940.4.16.

윤해영(尹海榮) 편

아리랑 滿洲

興安嶺 마루에 瑞雲이 핀다
四千萬 五族의 새로운 樂土
얼럴럴 상사야 우리는 拓士
아리랑 滿洲가 이 땅이라네。

松花江 千里에 어름이 풀려
기름진 大地에 새봄이 온다……
얼럴럴 상사야 밧틀야 갈자
아리랑 滿洲가 이 땅이라네。

豊穀祭 북소래 가을도 깁퍼
기러기 還故鄕 님 消息 가네
얼럴럴 상사야 豊年이로다
아리랑 滿洲가 이 땅이라네。

『만선일보』, 1941.1.1.

拓土記

故鄕 떠나는 날 진달래 꺽어홋고
하롯 밤 오구나니 눈이 상기 싸혓구료
찬바람 滿洲 벌판이 바로 예가 거길네。

사나힌 城을 쌋코 婦女들은 흙을 날나
創世記 神話처럼 새 部落은 이뤄젓다
아들딸 代代孫孫이 이 땅 우에 사오리

훤—히 트인들은 널고 또한 기름진데
우린야 소를 모라 거친 땅을 일구느니
地平線 저—넘어로 봄바람은 불어온다。

『만선일보』, 1941.1.15.

이경희(李京禧) 편

北極의 하소연

찬 바람 눈 벌판에 하늘도 흐려
오늘 밤은 어느 거리 어느 마을서
완 길이 몃 千里—ㄴ고 갈 길도 머러

서럽다 끗업는 放浪의 길
夕陽도 저물어 노을마저 지는데
멀리멀리 가마귀떼 울며 가면은

안타까운 고향 생각 달랠 길 업서
저 하늘 바라보며 눈물집니다
떠나올 때 언약해 둔 그때도 흘러

울며 울며 헤매는 나그네 신세
생각사록 쓰라려 그 새벽 리별이
그대만 울엇나요? 나도 울엇소。
　　　二月 十九日 黑龍江畔에서

『만선일보』, 1939.12.20.

이고봉(李孤峰) 편

追憶

素朴한 노래를 田野에 자아낼
봄비 오는 밤이건만 지나간 날
소등에 안저서 호들기 맞추면서
相思歌를 흥겨워 부르든
그대의 石榴를 쪼갠 듯한 입술이
퍽도 그리워서 애달프게
가슴만 태우면서 딍구나이다

부실부실 봄비가 하염업시 나리는 이 밤에
花冠을 쓰고 어허야 권마심 실리워서
수양버들이 늘어진 꼿사이 샛길을
넘어간 그대는
젓쏙지를 물고 옴즈락거리는 간난 아기를
껴안고 法悅에 陶醉되여 잇스련만
징글징글한 大地우에 터벅터벅 헤매이는
나는 나그네 길의 빈 房에 속절업시 딍구나이다

봄비마저 구슬픈 이 밤에 하염업는 追憶의 情에
시달려서 턱을 고이고 안즌 손등에 떨치는
눈물방울에서 空虛을 凝視하는
그대의 눈을 發見하고 소스라처 놀랫나이다

『만선일보』, 1939.12.6.

이규연(李奎燃) 편

비 젓는 거리

가리다 가오리다 눈물의 이 길
옛닐을 파뭇고저 흘러가리라
옛닐을 생각한들 가삼만 타고
끗업는 눈물만이 흘르리오니

어제도 그적게도 눈물매친 길
오날은 비 젓는 밤 거리에 헤매
떠나온 고향꿈에 더욱 서러워
가로수 눈물 먹고 밤새 웁니다

파무든 옛날 꿈이 왜 이리 서러
빗소리 가만가만 가삼에 때려
가삼에 고여고여 흐느끼나니
이역의 밤거리 더욱 서글퍼라

『만선일보』, 1939.12.20.

이길생(李吉生) 편

安奉線

斷層
더듬어 깍가 시워서 뜨매를 만들고
뜨매를 시처 푸른 물 감아 흐르며
힌 白沙場
길게
山골작 품속으로 파고 든다

검푸른 산등
黑松이 욱어지고
시츤듯한 闊葉樹의 새순
바위틈
擲鐲의 피
아라비아綢緞의 斑點을 찍고

살구나무 꼿 한 폭
배레—帽의 羽毛와 가치 희다
토치카 하나
花崗巖의 頑强한 皮膚

銃眼이
四方을 睥睨한다

그러나 只今은 休火山
저 山꼴 욱어진 숩에
匪賊의 抒情이 버러지고
이 銃眼이
불을 吐한 것도
安奉線客의 懷古의 한 頁러니

農家는 푸른 煙氣에 잠기고
藍빗 옷을 입은 무리
광어 자루 집고
火車를 치어다 보는 胎蕩한 포—즈

염소의 腸子가 얼마나 부렁그럿는지?
山비알로
잔등으로
溪流로
安奉線의 무쇠줄기도
제법 제법 꾸불거린다

奉天은 어느 편인가

『만선일보』, 1940.5.11.

꽃장사

亡하는 것일수록
아름답다
이것은 浪漫主義만의 呪文은 아니리라
松花江 풀이고
小興安의 白樺에
순이 도치면
外人部隊의 시랙이통
애토란제가
가루다로 來日의 方向을 定하려는
白露
感傷과 同意語가 아닐가
제손으로 끈을 수 업는
生命의 쇠사슬은
襤褸한 옷
거리에서 거리에서 꼿다발을 매노라
승가리는 悠久히 흐른다
亡하는 것이만이
가장 아름다울 것인가

亦是感傷家란 말이냐

窓턱압

哈爾濱의 거리에는

歷史는 悲劇의 創造者다

世紀의 正統에서 敗退한

한民族은

埠頭에 밀인

조히수지와 가치

음참한 비가 나린다。

『만선일보』, 1940.6.7.

이달근(李達根) 편

垂楊

얼마나 자랏나 날마다 제 발굽을 굽어보는 垂楊
너는 아직도 그 일을 잇지 안쿠 잇구나。
乳白色 "뻰취" 우의 지난 봄의 屈辱을!
嫩葉의 季節마다 삼삼 밝히는 情景을!
애숭이 풋情을 실실이 드리운 늙은 垂楊。
수집은 處女인 양 고개를 포옥 숙으리고
그 봄의 屈辱을 입설로 자근자근 씹느뇨。

『만선일보』, 1940.4.1.

무덤

슬픔이 하도 연연해 바람은 네 등을 어루만지고
가는 애달픔이 넘처 흘러 한 줌 흙무덤이 되었나니

영원히 視野를 돌여라 끗업는 樂園이 열리니라
—길은 오죽 平坦하고 집집마다 灯明 달녀 잇슬—。

내 집보담 오이려 행복이 잇슬 네 가삼속이
千載에 흣터질 넉슬 고이고이 길너줄 搖籃이어니

내 지금 白日에 별을 찻는 안타가운 마음으로
네 가삼속에 담북이 되여 있을 떨기떨기 꼿송이를 보노라。

六月— 丹과 郁에게

『만선일보』, 1940.7.16.

自畵像

膽汁보다도 쓴 現實을 삼켯기에
指向하는 발끗은 氷塊ㄴ양 차거웁다。

날이 맛도록 孤獨을 세이기에
넉마저 지처 濃霧마냥 뽀—얏코—

憂愁의 구름밝을 헷치고 마음아!
南窓을 열고 江南燕처럼 날아보렴。

憐憫한 心情으로 卑屈한 習性을 담으려는
心愿의 香爐는 하이얀 재(灰)만 남고

이제 나는 自畵像을 찌저버리고
暗闇에 빗나는 또 하나의 太陽을 마저
地獄으로 가는 비탈길로 나려슨다。

『만선일보』, 1940.7.23.

"都" "會" "風" "景"

世波에 밀녀 都會地로 온 사람들은 먼저 주머닐 털어 금붕어의 눈을 사다
심신은 내맛겨 이리의 뎩찍이와 맛 바꾸고 남은 것은 妖術王의 五叉鉤를 사다

병아리 홰에 드나들듯 뒤똑뒤똑 層層臺를 오르나리는 것이 한갓 재롱이라면
"애레베터—"로 밋바닥까지 사르르 미끄러짐은 무슨 숨박꼭질들이뇨

빨래하나 널어말린 것 업건만 千家萬戶 집웅 위 장때수염이 뻐친 것은
무슨 새로운 廣戱를 提供할 舞台뇨 青天은 비러 "텐트"를 치고。

倫理와 道德은 "아스팔트" 우의 香樵皮를 밟아 미끄러젓고
오호—마음 마음 팔어먹은 마음이여 永永化合은 업슬 게냐

지친 넉들은 산산이 흣터저 가지각색의 "네온"이 되엇고
골목 골목에선 嬌笑에 粉을 발너 競買를 부른다

고추가티 맵고 氷塊가티 싸아늘한 音舞들은 뭇얼골 할고
속 팔어 거틀 사는 야른한 心地는 用常芥子 맛과 갓도다。

『만선일보』, 1940.8.4.

원숭이

南國椰子樹 미티 하마 稽王 원숭이는
空中에 달린 쇠사다릴 뛰여올럿다 나렷다
오죽이나 疲困하나。

너를 실어보내는 그 停車場 그 뱃고동소리 그 旗手
얼마나 원망하느냐 그 “아짜보”의 건방진 꼴들을—

黙黙히 쇠사슬에 목을 매여도 풀어도 보는
너를 사고 팔고 하는 니는 曲藝師의 원망스런 눈초리여!

오다가다 너를 건드리며 우서대는 무리 속에
네 그 말 못하고 끌려오는 惜別의 情을 아는 이 멧치뇨。

네 온갖 재조 다 부려도 외콩 한 알 던져 주는 이 업고
숨숨 얽은 鐵網은 依然히 눈 부르뜬 채 沈黙한다。

『만선일보』, 1940.8.11.

墓碑銘

목 매처 달리노니 腐卵갓흔 鳥心아
어찌타 애설피 그 時節만 뇌까리느뇨
별빗 흐르는 南方의 한울빗도 에갓것만
芭蕉입과 白薔薇로 역근 꼿다발은
深淵의 무덤 압헤서 이미 시드럿고
情에 겨운 그이의 戀歌도 흘러 갓는데
오호 希望이여 너는—
내 가슴에 褪色한 墓碑를 박고 갓나니……
이제 나는 별과 더부러 밤의 秘密을 캐고
東方의 黎明을 긔대려 眞理의 太陽을 섬기며
杜鵑 우는 밤을 홀로 직히이리라。
隱密히 墓碑銘을 쪼아 색이면서……

『만선일보』, 1940.8.30.

欲去地域

벌집가티 소란코 쑤세미가티 엉클어진 鄕土를 떠나서
주머니엔 성냥 한 개피도 안 너코 헐헐 끗업시 가고 십다

한망울 속에 담배씨마냥 눈, 코렬·렝·입 비슷컨만
優는 어느 거며 劣은 무어뇨 네 건 어떤 거며 내 건 또한 무에라뇨

수박넝쿨가티 뿌리에서부터 점점 뻐더 나건만
맨 끗헤 열린 놈이 저 먼저 익으려는 심사를 나는 보노라

엉클어지고 달나 붓고 한 거미줄 가튼 系緣을 박차고
幽閉된 湖水가티 제 울만 돌면서도 우줄대는 慾界를 떠나서

北國雪原에 "뜨로이카" 타고 끗업시 끗업시 가고 십다
"아라비아"沙漠에 샘을 차저 어데고 어데고 가고 십다

杜鵑이 우는 山谷에 흐르는 샘물 두 손 움켜 목을 축이며
달랑한 나무때기 하나 끌고 끗업이 그냥 가고 십다.

留雖한 내 心思 한숨 지어 한울가에 휘파람 날니며
그 어느 僻村에 幽宅을 찾어서라도 막 가고 십다。

『만선일보』, 1940.8.30.

失魂의 노래

아가야 이 한밤 내 心淵에 배를 띄워라
无邊綠原엔 細雨가 실실이 나리고
임은 가고 이제 외로운 넉시
心淵에 빠저 마음의 櫓나 저으리
露燈 서리인 내 心淵의 港路 압엔

한 幅의 海圖도 저멀리 燈臺도 업드란다
地獄 가튼 暗黑이 흘러내리는 船底에서
아가야 나는 너에게 밤의 眞理를 가르키며
썩어빠진 良識을 魔醉시킬 毒酒를 마신

가도가도 埠頭 업는 이 船路를
오직 하나뿐인 燈臺를 차저 흘러가는
太陽을 일흔 "보해미안"—"노스탈쟈"
나는 이 밤의 苦惱를 익이기 위하야
워드카—를 드리킨다 술을 따러라。

- 典型詩集에서

『만선일보』, 1940.10.23.

비 나리는 밤

追憶의 실머리—ㄴ양 보슬비는
파랑 버섯 가튼 街路樹를 울리는데
수ㅅ한 乘物 다 버리고 “포켓”의
白錢分 만적이며
미친 듯 十字路에서 서성이는 그림자는

비 마즈며 꼿츨 파는 異國의 게집애야
내겐 永永 필 줄 몰으는 花盆을 하나 다오

……부르려무나……
……나를 부르려무나……
그 어느 喪主鬼神이라도
내 너를 따라 이 밤이 새도록 鋪道 위를 헤매리니

오호 이도저도 다 일흔 지금 차라리
딸기빗 모자 쓰고 停車場 드나들며
異國男女의 潮笑석긴 “아까보—”소리라도 듯고 십다
追懷의 실머리—ㄴ양 보슬비는

파랑 버섯 가튼 街路樹를 울니는데
- 典型詩集에서

『만선일보』, 1940.11.1.

비 개인 鋪道

街路樹가 半世紀나 젊어젓다고
보슬비가 소곤대고 지나간 뒤

구름새로 쏘다 億兆 눈瞳子를 흘기며
街角의 「네온」은 파란 빩안 별을 헤이고

"파라솔" 두셋 버섯마냥 솟아올을 무렵
「뽀—키」車가 길을 일허 오며 가며
이붓子息처럼 털털……커리다

물찬 제비마냥 매끈한 "택씨—"는
맛나선 말도 업시 한 눈만 찡긋대고
雙頭馬車의 말굽소리 유난이 치벅대다

火車의 서글픈 鄕愁 함함이 배인
驛前廣場 으스름한 한 모퉁이엔
지금 別離를 쏫는 男女의 구두끗이
……南洋海圖를 그리는가 십흐다
- 典型詩集에서

『만선일보』, 1940.11.7.

落水

어느 님이 남기신 넉시고
말업시 이처럼 눈물만 쥐여짬은

蓋瓦 비눌마다 업드려 쓸며
落水는 굴러굴러 첨하 밋틀 흘러 나려

그 양자 하두야 서글퍼서
마음은 소경처럼 허공을 번득이고

어느 貴童子 볼기짝 두드리는 소린 듯
찰싹찰싹 차알싹 연겁퍼 들리는데

찡그린 面貌도 들먹이는 어깨의 表情도 다 업시
뵈지도 안는 그 임의 서러운 心思를

오오 흘러라 기리 흘너라
내 여기 머물러 化石이 될 때까지—

『만선일보』, 1941.2.22.

이당(夷堂) 편

눈

壽衣가 그리운 날
아츰 고요히
눈이 내리네

無數한 힌 것이
千里萬里 박긴 양

아득한 展望이
맥힌 듯이 끗업는
내 不安과도 갓다。

『만선일보』, 1942.2.5.

움

설레는 마음을 가러안치려
일은 아츰
窓門을 열엇소
봄
부드러운 空氣
푹은한 흙내가 잇소
宇宙는 고요한 듯이 음트고
空間은 움즈길 듯이 멀어
나는
나좃차 이젓소
나를 이즌 마음은
深山古刹인 양
설레는 것도 업소
괴로움도 업소

나는 멀거니 時間을 잇고
久遠 속에 사러지오

『만선일보』, 1942.4.6.

이로월(李蘆月) 편

憂鬱의 밤

相思에 깁픈 마음
罪라구 하오리까?
오리라 밋은 마음
어리석다 하오리까?
사랑도 病이 온 지
잠 못 이뤄 지느뇨?

西窓에 달 기우러
밤도 임이 三更인대
구타여 不如歸는
목 노아 슬피우러
千里박 님 그린 나를
더욱 울여주느니

눈 감어 이즈려고
불 끄고 누으오니
누음도 罪오리까

갑갑症 더 甚키로

불 켜고 이러 안저

님 오실 날 헤이오。

五. 二 밤. 못 온단 글을 밧고 綠陰 짓터가는 南方에서 惠華에게!

『만선일보』, 1940.6.4.

밤 엿장수

엿장수 엿장수 밤 엿장수
쟁강쟁강 가위소리 내며
우리집 문아플 지내간다
고추양념에 밤 엿 사려—
길게 빼느리며 지내간다
가위 소리만 남기고 간다

엿장수 엿장수 밤 엿장수
내가 먹고픈 엿 한 궤 지고
가위 소리 쟁강그리면서
어둠컴컴한 골목길 돌아
밤 엿사려— 소리 남기고
지내간다 지내가 버린다

엿장수 엿장수 밤 엿장수
캄캄한 골목길 돌고 돌아
우리집 아풀 또 차저온다
쟁강쟁강 가위 소리 내며

한 가락 사 주지도 안 하는
우리집 아풀 또 지내간다

『만선일보』, 1941.2.15.

이성홍(李聖洪) 편

눈썰매

北風아 불지 마라 해는 점은데
놉흔 山 얏튼 고개 눈 날리누나
썰매를 달고 가는 나귀도 추어
목 매처 우는 꼴이 애처로웁다。

오늘도 七十里 날이 점은데
갈 곳이 어데메냐 아득도 하다
가도가도 끗업는 地平線 넘어
나그내의 서러운 밤만 깁구나

언하날 찬 달을 혼자 바라며
달리는 썰매 방울 사라지고요
고개고개 넘어가는 나그내길은
외로운 등불만 바람에 진다

一二、一八

『만선일보』, 1941.1.16.

봄이 오면

奶道山 꼭댁이 눈 다 녹고
松花江 언덕에 새싹이 트면
방아재 넘어가며 멀구 따먹든
任順이 차저 이사를 와요

눈가린 노새는 연자망 돌고
씨누도 올키도 가마니 짜는
이 마을 살림사리 정 부치는데
千里가 멀다고 못 올리 잇소

간움에 갈아둔 기름진 바테
감자를 심그든 木花도 심소
開墾한 水田에 벼 잘 되면
올해가 가기 전에 成禮하려오。

『만선일보』, 1942.3.9.

桃花 흘을 때

눈 녹은 松花江에 물이 불으면
지리한 三冬에 시드른 筏夫도
白頭山 落落長松 뗏목을 타고
江바람 등을 지고 잘도 달리네

작년에 새로온 江陵집 술집
土城밋 실버들에 새싹이 트고
이슬진 살구꼬치 활작 피며는
밧 갈든 내 맘조차 왜 이리 타나

이 봄이 가기 전에 들일도 만허
열두 집 살림사리 밧만 맬테냐
江가에 열흘가리 봄물을 잡고
모판을 달울 때도 이 봄이란다。

『만선일보』, 1942.4.20.

이수형(李琇馨) 편

生活의 市街[26]

밤의 피부 속에는 夜光蟲의 神話가 피어난다
밤의 피부 속에서 銀河가 發狂한다
發狂하는 銀河엔 白裝甲의 아츰의 呼吸이 亂舞한다
時間업는 時計는 모—든 現象의 生殖術을 구경한다
그럼으로
白裝甲의 이마에는 毒나븨가 안자
永遠한 午前을 遊戱한다
遊戱의 遊戱는
花粉의 倫理도 아닌
白晝의 太陽도 아닌
시커먼 새하얀 그것도 아닌
眞空의 液體엿으나 液體도 아니엿다
자—그러면 出發하자
許可된 現實의 眞空의 內臟에서

26 "詩現實"동인 申東哲과 합작한 작품이다.

시커먼 그리고 새하얀 그것도 아닌

聖母마리아의 微笑의 市場으로 가자

聖母마리아의 市場엔

白裝甲의 秩序가 市街에서 퍼덕일이엿다

於圖們

『만선일보』, 1940.8.23.

風景手術

닭소리에 宇宙가 깨라는 새벽이면 히여가는 들창 밋에 카레터—의 神話를 紀念하는 戀文들은 회파람을 불드라.

흙빗을 어르만지면 파라핀이 그리워진다. 新作路가 海女처럼 발가벗고 웃는다。 飛行場에서 兒孩들이 말은 풀 거두며 포장과 가튼 喜悅을 湖水에 보낸다。

이것은 장임에게 무지개를 알리자는 意味엿다。

아라비아의 地圖를 가진 兒孩들이 軌道를 橫斷한다。 배추 속에 새벽노래가 아롱지면 물동이인 少女의 그림자가 海邊의 젓봉오리를 휘젓는다。

北窓을 여러 제치고 蒼空을 흘으는 숫탄 손벽소리를 헤치고 노래와 가튼 彫像에 七面鳥 한 머리 딩글고 잇다。

히—ㄴ 壁 압에서 오렌지—의 太陽이 누른 頭髮을 꼬고 잇다. 바사솔을 쓰고 나의 感情이 戀人의 손바닥에 音樂을 들여주엇다。

戀人은 고무風船의 微笑를 하엿스나 나는 목가지 업는 思考를 가젓다。

薔薇色 秘密을 가진 靑年들은 凋落이 되면 모—도 外套를 입드라。

청년들의 會話는 『興亞』를 피우며 사보덴과 가치 그 속에서 肥滿하더라。

그들은 左右兩쪽 포켓트에 疲困한 손바닥을 찔르고 正午의 네거리를 서성거리다。

비로—드의 검은 乳房을 어루만지면 열 개의 손꾸락이 낡은 感情을 바란

스하드라。

薔薇꼿 입파리 떠러진 것을 슯어말 것이다。健康한 검푸른 가시 蒼空을 휘젓는 것을 노래할 것이다。太陽은 그러케 아름다웟스나 印象派畵家들은 서른두 개의 舞臺를 꾸미고 그 우에서 쏘뿌라노를 불럿느니라。

이것은 한 개 귀여운 베일이엿다。베일에 靑年畵家들의 굉기가 湖水를 숨쉬드라。이것은 二十一世紀의 나이팅게―ㄹ을 할머니들께 들이자는 行動이드라。

한 개 원두와 가튼 形態에서 무서운 體溫을 어더편으로 感情花하엿다는 것은 比喩가 아니엿다。그것은 黃昏風景에 짓을 줄려는 意味다。

뜰에서 해마다 鳳仙花는 붉은 요기를 잇지 안트니 할머니는 힌 등을 구부리고 少女의 손꾸락을 보기 시작하드라。어대간들 꼿이 피질 안켓니 어대간들 꼿이 떠러지질 안켓지。그러기에 兒孩들은 유리쪼박과 가튼 湖水에 얼골을 비추워보는 方法을 갓일 것이다。

푸른 森林을 사랑할 수 업는 장님에게 美學으로 이야기 말 것이다. 凋落한 落葉이 아니라 樹液이 속으로 흘으는 나무나무의 줄거리를 검은 손바닥으로 어르만지게 할 일이다。樹液의 合唱을 들을 것이다。

- 一九四一. 一〇

『만선일보』, 1941.12.10.

이순보(李順輔) 편

初雪

눈이 나린다
하나식 둘식—
거무수루한 地球의 마음을
소리도 업시 하야케 덥흐려 한다。

이놈아!
妖艶의 우슴이 그다지도 아름다우며
百萬長者의 夏服이 그다지도 純潔트냐。

오—힌 눈
싸이고 싸혀 數尺이나 싸히면
나는 그 속에 헤치고 들어가 활개를 펴고 누으리라
萬若
天使의 힌 옷을 찌저 내려보내는 것이라면 내 마음
저—속의 오래 묵은 때와 땀이 깨끗이 시처질까 하야……
지나간 날의 헛되고 헛된 생각이 고이고이 살아질까 하야……
일은 아침 窓박게

펄펄 눈은 난다。

人家 업는 曠野의 끗업는 길을

졸아맨 보ㅅ짐에 나리는 눈을 털며 털어

어린 아이를 가운데 세우고

발거름을 재촉하는 나그네도 잇스리라。

一〇、二四 食前

『만선일보』, 1940.10.30.

섯달 금음밤

이 밤이 새면 우리 누이동생의 설이 다시 옵니다
(北風을 기다리며 떨고 잇는 서리마즌 枯木 가튼 설이)

퉁! 탕! 탕! 탕! 삘딍 삘딍을 울리며 間斷업시
터지는 爆竹소리가 故鄕에서 온 내 親舊를 놀내게 합니다
(아 ―ㅅ다 나는 匪賊이나 襲擊해 오는 줄 알엇띄이라)

『福』, 『禧』라고 쓴 밝안 종이를 大門에다 조롱조롱 부친
집 아가씨는 오늘 밤 무슨 꿈을 꾸는지요
(라ㅅ팔을 불리우고 시집 가는 꿈을 꾸릿가)

오늘 밤에 잠 자면 눈섭이 센다고 속여주면
어머니 무릅에 안저 자미업는 이얘기만 하는
어른들의 입만 처다보다가는 그만 졸고 말든
우리 누이동생도 어느듯 싀집 갈 때가 되엿습니다。
(우리 누이동생이 싀집을 가면 우리 동생의 설도 누이따라 가야만 한답니다)

탕! 탕! 퉁! 탕! 오늘 섣달 금은날 밤은 깁허만 가는데

요란한 爆竹소리는 그치지 안습니다
아마 이맘 때쯤 故鄕 우리집 火爐에서는
툭툭 딱탁 군밤이 튀기고 잇슬 것이외다
(우리 누이동생이 홀홀 불며 껍지를 까노라고 한창이겟습니다)

『만선일보』, 1941.2.13.

이영산(李影山) 편

湖心

山谷에 매친 푸른 湖水 하나
그는 나의 思念
한 마리 사슴 차저 줄줄 몰으는 湖面이여
수다스러이 구름이 기여들고 날고
靜寂이 함초롬 피여 번거로운 제
새 한 마리 한나절 두고 울다 嶺 넘어갔다。

山谷에 매친 푸른 湖水 하나
그는 나의 思念
뫼뿌리 벅국이 우름 울리어 들면
한 떨기 水仙花 피염즉도 하련만
오오 잇기 도다도다 幽閉된 가슴에
개고리 밤 새워 울어내는
멍울진 湖心이여
- 木原에게 新京에서

『만선일보』, 1940.3.15.

梧桐꼿

푸른 치마폭을 끌고
季節이 내 古園에 쉬는 날
梧桐나무 한 株
가지가지에

조롱조롱 紫빗 호롱불을 켜다
내 가슴에다
빈(空) 것에다
한 灯 두 灯
追憶의 호롱불을 켜다。

『만선일보』, 1940.5.18.

曠野

푸른 하늘
또 하나 푸른 들판이
꼬리 맛물고 탕 터저
羊떼인 양 한가히 조각 구름이 놉고

노다거리는 바람에 흥겨워
沃野千里에 긴 물결 이룰 제
수수 줄기줄기 빗나는 太陽
오오 碧空을 겨누어 生은 躍動하나니

내 只今 모든 것 다 이즈리다
다만 흙냄새 배여오는 이랑에 누어
蒼空 太陽 바람의 風俗을 걸고

觸角을 地平線에 꼽아
이슬 매친 靑葉을 조각하는
한 마리의 螢虫이 되여 너를 부르리라
오오 나의 어머니 大地여!

『만선일보』, 1940.7.19.

姑娘 (외 1수)

꾸—냥[27]

너는 날근 집웅 우에 핀 朴꼿

짓터가는 黃昏

조각달 아래

이슬을 밧고

도란도란

傳說에 피다

無題

그늘진 마음 한 구석에

못 잇는 사랑의 터전이 잇서

밤마다 불 꺼진 그 草堂을 더터

내 조심성이 문을 뚜달겨 보거니

가만가만이 소래 죽여 불너 보는 사람아

27 "꾸냥"은 중국어 "姑娘"의 발음을 한국어로 표기한 것이다. "아가씨, 처녀"라는 뜻이다.

꿈마다 차저드는 그대 노래
꿈마다 피여 이는 그대 모습
아아 永遠이 가고 마련가
그대 베일 속에 웃는 밤
창 넘어 流星 하나 외로히 지다。

『만선일보』, 1940.9.5.

이욱(李旭) 편

봄꿈[28]

올빼미 넋이더냐
언제나 날카로운 솔개미 뜨면
지새는 안개처럼 꽁무니만 빼고
웨—
앵도꽃밭 발자국엔
悔恨의 눈물만 고였느냐
너는 오늘도
故鄕을 못 잊어
허무러진 옛 돌담밑을
몇 번이나 돌고 도나—

『만선일보』, 1940.4.9.

28 李章琬이란 필명으로 발표했음.

浦口의 봄아침[29]

멀리 분홍빛 바다에 白孔雀이 나래를 펴니
돋우어 벤 벼개 우엔 서른 꿈이 바수여진다。

힌 달이 어린 덧문을 집어뜯던 어린 아이—
그 빨간 입술에 새 神話 흘렀단다。

보라빛 치마 끝에는 참새 주둥이 봄을 나꾸고
먼 뜰엔 푸른 옷 갈아입는 소리 스미다。

푸른 하늘 저편엔 여름구름이 날려오고
傳說을 담은 海峽엔 보얀 안개 서리우다。

江南에 동백꽃 피였다는 消息만 듣기면
설레는 내 가슴속에는 까무러진 향수가 꼬리친다。

『만선일보』, 1940.5.1.

---

29 "月村"이란 필명으로 발표함.

公園[30]

내 한나절 깃을 펴고 날 수 잇는
아늑-한 하늘
마음은 별 조우는 湖水마냥 靜逸해지는구나
거리의 騷音이 까란고
간밤-노다지 꿈도 바사진다
只今 困憊한 내 生命은
아침 이슬에 저즌 함박꼿처럼 피어난다。
호박씨 까는 「구냥」도
胡弓 타는 女人도
식그러운 「쎈치」이나
長安의 妓生충도
平安道 愁心歌도
어울리지 안는 「리즘」이다。
거저 太陽을 이고 구름을 타고
물 몽오리에 풍거서 바람결에 날어서
無我의 世界로만 작고 가고 십흔

---

30 "月村"이란 필명으로 발표함.

내 꾸며 노흔 한 쪼각 한울이다

(四月十五日於延吉公園)

『만선일보』, 1940.5.1.

黎明[31]

우리는 太陽의 아들
오—로라를 등에 지고
미래지를 가삼에 안엇다
啓示!
衝動!
創造!
碧血이 싱싱한 남역花壇에
亞細亞의 太古적 神話가 수미고
薰香이 풍기는 東洋의 構圖에
새 世紀의 浪漫이 소용도리친다
오! 東洋의 새봄
오! 東洋의 새 아츰

『만선일보』, 1942.5.1.

---

31 "李鶴城"이란 필명으로 발표함.

百年夢[32]

太陽이 첫 우슴을 펴는 동산에
十億同胞가 꼿송이에서 呼吸한다
一한 뿌리다
一한 씨다
祖國의 傳說은 이끼 푸른
江床에 흐르고
兄弟의 碧血은 수만혼 靈座에 물드럿다
직히자 疆土를
사랑하자 同胞를
이젠 자장가는 구성지며
聖스러운 百年夢은 이룩햇거니 半島山河도 軍裝한다
東方民族은 鐵環된다

『만선일보』, 1942.5.25.

32 "李鶴城"이란 필명으로 발표함.

鬪魂[33]

탄탄한 地表에
푸른 群像이 드러섯다
和暢한 五月 碧空 아래
洵爛한 젊은이의 잔치
—美의 律動
—力의 意志
烽火가 터젓다
軍神이 내렷다
우뢰가 어깨 우에 떠러진다
번개가 발끄테 일어난다
大氣가 비단처럼 찌저진다

地軸이 가치 움즉인다
소리와 소리
빗과 빗
點과 點

---

33 "李鶴城"이란 필명으로 발표함.

線과 線이 한 쪼각 宇宙를 찌저낸다

푸르 별들이 달린다

푸르 별들이 뛴다

　　五月 卄四日 間島足球大會에서

『만선일보』, 1942.6.1.

捷報[34]

푸른 意慾이
薔薇빗 地圖에 번지어 간다
赤道 아래에는
遠征의 隊伍와 隊伍의 行列이
스치어
決戰의 아우성
太平洋의 섬과 섬은
軍神의 깃에 그늘지고
푸른 湖水 우에
두 세 白鷗가 물똥을 처
오돌진 꿈이 물 몽오리되여 풍겨온다
오직 하나인 祈願에 머리를 숙으리고
새론 歷史의 「이데!―」를 부르자
조심스러히 업드린 안테나도
世紀의 층층대를 구버본다
이제 바다의 頌歌는 돌려오나니

34 "李鶴城"이란 필명으로 발표함.

香氣로운 南風을 깃끗 마시며
눈물이 철철 흐르는 祝盃를 들자(끗)

『만선일보』, 1942.8.17.

이응진(李應辰) 편

楓嶽行

旅裝을 풀고 樓上에 定坐하니
峰頭에 구름 일고 階下에 綠水로다
松林間 부는 바람 世波일랑 傳치 마라
雜念일까 하노라

-集仙峰 압草堂에서

바위산 노픈 峰을 골골히 차저드니
푸른 솔 붉은 丹楓 곱게 역거 물들엇네
이 中에 안즌 몸 돌아갈 念 업는가 하노라

-新万物相 天仙台에서

創出芙蓉이라 한들 이럿르시 奇異하여
玉流洞天이라 한들 저럿트이 맑단말가
이 江山 버리고 내 참아 어이가리

-玉流洞에서

毘盧峰 올라서니 千里가 咫尺일세

山下에 구름 일고 眼前이 碧海로다
胸中에 서린 懷抱 九天에 쏘다 볼까 하노라
-毘盧峰에서

千余年 긴 歷史를 너 혼자 버칠논가
새 일이 바뿌거니 지낸 일 뭇지 마소
가다가 괴롭고 무겁거든 나를 생각하소서
-普德窟 銅柱 압페서

玉溪에 낙시너코 台 우에 안젓스니
集仙峰 힌 구름이 홋다뫼다 하노매라
紅塵아 일지 마라 이 興을 깨울까 하노라
-釣台에서

『만선일보』, 1941.11.8.

이인상(李仁尙) 편

하나의 별

하나의 별은 가고야 말엇느냐
말고 흔들림 업던 내 湖水에
구겨진 그림자만 남겨 노코
별은 하나의 별은 가고 말엇느냐
오래인 날과 밤이 흘러가도록
티끌 모아 어지러운 냇물가에
낡은 내의 그림자
그림자만 안고
속아온 세월이
꿈처럼 허무하다。

『만선일보』, 1940.2.11.

길

수집은 처녀의 머리털가치
파—란 잔디를 금 긋고 나간 길
길 넘어엔 무엇이 잇나。
비단옷 입은 옥뿐이도
이 길을 넘엇네。
가는 사람은 슬픈 길。
오는 사람은 기뿐 길。
석쇠아범도 넘어가는 길
주렁주렁 쪽바가지 넘어가는 길。
나도 이 길을 넘어왓다。
아버지 잔등에 올라안저 넘어왓다。
동구박 어구엔 눈물도 말럿스니。
자동차 박휘에 가슴도 구덧스리。

『만선일보』, 1940.3.28.

달

序曲 生命

달은 하늘에 걸렷슬지라도
비츤 마음속에 잇섯다。
마음속에 너그러운 빗!
나는 때때로 내 마음속에서
달의 노래를 듯는다。

一. 懷古의 情

너는 記憶하느냐?
그리운 옛 사람들의 얼골을
너는 보앗느냐?
숩사이 가지가지 神秘를。
말하라! 밤은 아직 멀엇다。
그 모든 그립고 다정한 이야기를。

二. 旅路

달은 말업시 간다……

億万年 傳説을 지닌 채。
달은 말업시 간다……
내 가슴에 안기여。
오오 달은 말업시 가노나!
무수히 흐터진 子孫들을 거느리고
짐승들의 故鄕—아프리카의 密林으로
달은 말업시 가노나!

終曲 生命이 깃들이는 곳
무딘 힘줄로만 얼기설기한
다나의 土人들도
熱狂의 춤을 추엇거늘
深山幽谷 호랑이도
고함처 山을 울렷거늘。
萬物의 愛人—달을 爲해
이 밤에 모든 것이 노래하리라。
모든 것이 마음이 고히 씻기리라。

『만선일보』, 1940.4.11.

이정기(李正基) 편

夕陽

온 누리를 덥든 밝음의 王
아프로의 情熱이

오늘도 地平線 아득히 기우러지다
마즈막 告別과 뿌리는 血淚
萬物은 젓어젓어 붉어진다
머—ㄹ니 꼬리 끄는 여위고 기이—ㄴ 그림자
오오 空으로 나리쏘는
저기 저 火光은
이 땅에 쓰다 남은 情熱의 火花인가
님 따라 흘러흘러 흘으는 한 줄기 물결
그리움에 지처지처 여윈 싸늘한 내 마음
殘暮의 金光마저 붉게 타 든다.

해는 저서 地平線 아득이 숨고
黃昏은 소리 업시 스며 싸히는데
아아 어데서 우는가?

저—개구리 소리

이 마음 아프다

傳說의 部落 흘으는 江이여!

나 홀로 슬프다 傳說을

이 江가에 서서……

—S에게 주는 詩

『만선일보』, 1940.5.18.

蓮花湖의 黃昏

밤이 을픗이 싸혀 드는 곳
어두운 누리에 黃昏이 물들다
蓮花湖 넓은 노을 아득한 水平線에
젊은 妖精의 哀怨이 흐르나니
北邊東北數千里故國에서 이저진 곳
죽은 듯이 寂寞한 蓮花湖의 黃昏

어린 손 무거운 鄕愁를 지고
마음 간얄피 湖邊에 獨步하오
暗然한 湖邊에 孤寂이 떠도니
의로운 마음이 부르는 노스타르쟈
異域에 자라난 에도란제의 가슴은
오늘도 풀길 업는 안타까움이어

『만선일보』, 1940.6.25.

이철준(李喆俊) 편

戰慄의 밤

어머니!
어서 房門을 굿게 단속하세요
나는 지금 大門에 빗장을 지르고
벗틔고 서 잇습니다。
저 層階 아래에서는
무수한 生靈들이 아우성을 치고
黃昏을 기다리는 妖精들은
자즈러진 우슴을 지으며
대골거리는 骸骨을 할트려고
차비합니다。

어머니!
조심스럽게 귀를 기우려 보세요
별 하나 깜박이지 안코
가랑닙 하나 밧삭거리지 안는
沈寂한 이-밤에
充血된 들개(野犬)들에
울부짓는 소리만

소름이 끼치고 풀집에 잠드럿든
버레들에 자지러진 恐怖만이
波紋을 일웁니다。
戰慄!
恐怖!
時計는 때-ㅇ 때-ㅇ
두 시를 첫습니다-沈黙
앗 지긋지긋한 悲鳴!
이리하여 宇宙는 벼란간
脈搏이 停止된 채로
싸늘한 屍體가 되엇습니다。
이리하야 歷史에 『노트』는
한 『페이지』가 넘어가고
늙은 哲學者에 思索의 붓대는
氣絶이 된 채 녹이 쓸코
世紀에 검은 帳幕을 펄럭입니다。

어머니!
방안에 촛불을 끄십시오
첫 닭이 울고
黎明에 동이틀 때까지
房門에 監視를 게을이 마십시오。
오- 戰慄의 밤이외다。
　　一九三九、七、四

『만선일보』, 1940.5.8.

이촌(李村) 편

悲哀

蒼白한 마음이외다
形容할 수 업는 안타까움이외다
거칠대로 거칠은 靈魄이
世波에 시달리고 시달려
뼈만 남엇습니다
깃븜을 맛보지 못한 덧업는 삶은
希望을 불살른 지도
벌—서 아득합니다

悲哀!
두 눈에서 떨어지는 눈물이
볼을 적십니다
찻지 못할 그날인 줄 번연히 알면서도
그리워 그리워 여위여 흐득입니다.
　　於吉林

『만선일보』, 1939.12.9.

이포영(李抱影) 편

가신 님

잡는 손 뿌리치고 구지 가신 님이 오니
닭이 홰를 치고 운다 해도 한번간
그 님이야 다시 올리 잇스리。

못 오실 님이라면 생각지나 말아야지
올 기약 업는 님은 내 무어라 생각는고
생각을 마자해도 마자하면 더 새로워

간다는 님에 심사 생각사록 몰을 일이
갈나면 그냥 가지 우슴 모다 아서 가며
어이해 눈물 하나만 남겨두고 가느뇨。

안 가면 안 되나요 가실 길을 왜 오셧소
울리고 가실 길을 어이하여 오셧든가
울리고 가실 길이니 웃고 오라 합니다.

가신 길 못 오시리 나는 도이 되오시오

아모 때 오시여도 그건 한 치 아니하고
죽기 전 지고봉서 기다리며 자리다

『만선일보』, 1939.12.5.

눈(雪)

배꽃이 히다 한들 눈에게야 비길 건가
이처럼 히고 말꼬 깨끗함을 못 보앗네
순결한 처녀의 마음 그도 이만 못하리。

히기만 하오리까 고르기만 어떠한 고
瓦家라 茅屋이라 가르는 길 잇사오리
다가치 싸히고 덥혀 더듬함이 업더라。

고르고 히다 못해 罪業까지 알려주네
三更에 맛는 눈은 聖訓인 양 경건해라
날가치 죄만은 몸은 눈도 맛기 어려워。
-於 敦化

『만선일보』, 1939.12.15.

送君於敦化站

그대여 잘 가시오 부대 평안 잘 가시오
바람 찬 돈화역에 울며 당신 보내노라
기차도 뜻잇슴인지 슬푼 고동 울리네。

두리서 갓치 온 길 당신 혼자 가시든가
이런 줄 알엇드면 함께나마 오잔을 걸
몰으고 왓든 길이니 누룰 원망 하리오。

리별이 서운탄 말 무슨 말가 하엿드니
당신을 보내면서 이 말뜻을 알엇노라
여긔가 만수라하매 더욱 늣겨 짐니다。

그대 떠나실 적 그 말 어이 못 하엿노
가슴속 품은 그 말 내가 어이 못 하엿노
할려다 못한 이 마음 알어달라 합니다。

떠나며 웃고 가신 마즈막 그 우슴이
지금도 눈 감으면 두 눈 속에 보혀지네

그 우슴 늘 보기 위해 소경되려 합니다。

『만선일보』, 1939.12.23.

靑服의 處女

길 가는 저 아가씨 옷은 비록 푸르건만
그 얼골 생김생김 거름 것는 그 맵씨가
분명코 조선의 아가씨 뉘 아니랴 말하리。

뭇노니 저 아가씨 다홍치마 다 어쩌고
푸른 빗 그런 옷을 아니 그래 입단 말고
누라서 그런 말 뭇소 만주땅도 몰라보。

난 정말 못 보겟소 안타까서 난 못 바요
히맑은 당신 마음 잘못 될까 난 못 바요
옷이야 비록 푸를망정 마음마저 푸지르리.

- *於敦化*

『만선일보』, 1939.12.29.

片想

그립다 말을 할까 말 못하니 더 그리워
말한 후 모른다면 아니함만 못하나니
도로히 말 아니 하고 두고 그림 나으리

말 안코 그리자니 타는 가슴 재가 되고
그러타 말하자니 그건 더욱 못할 것을
차라리 벙어리 되여 말 안을까 하노라

그립고 그리운 정 하소할 길 바이 업고
그리워 운다기로 이 맘 어이 알아주리
한평생 몰라준대도 안 그럴 수 업노라

가슴속 그리운 정 무엇으로 전해볼까
바람에 부치자니 허황해서 못 미더를
생각다 못 이기어 한 자 두 자 씁니다

쓰면은 무엇하오 보내지도 못할 이 글
못 보낼 글인 줄은 나도 번히 알건마는

알면서 쓰는 이 마음 낸들 오죽 타리오

숨어서 사랑이란 이렇케도 괴론 건가
괴로운 이 사랑은 언제 열매 매저보리
이 생에 못 맺는다면 저승 가서 매즈리

- 於 敦化

『만선일보』, 1940.2.3.

예서 기리사리다

떠나온 고향이니 생각한들 멋하리만
荒原에 달 빗기고 胡弓소리 들릴 때면
살구꽃 피는 내 고향 안 그릴 수 없노라

黃昏에 소를 몰고 어슬어슬 돌아오면
휘파람 소리 듯고 몰래 반겨 주군 하는
順伊는 어데 갓슬꼬 생각 아득 하여라

동생들 압세우고 동구박글 나설 적에
삽살이 저도 가자 그 얼마나 지저댓소
지금은 뉘집애들과 함께 몰려 단니니

그때 일 생각하면 생각사록 그리우나
눈물로 떠난 고향 다시 가진 못할 것을
情들면 고향 안 되리 가서 무엇 하리오

滿洲라 널븐 땅은 갈아내도 남는구료
밤이면 胡酒들고 아리랑에 흥도 깁소

나라도 五族協和니 예서 기리 사리다

-於敦化

『만선일보』, 1940.2.24.

分福

富貴功名을 실타할 이 잇스련만
여태 그것이 마음대로 되는 건가
淸貧도 分福인지 나는 그도 못 누려。

富貴功名은 못 누린다 서러하리
누리고 못 누림이 모다 자긔 分福인 걸
제 分福 넘기지 말고 살어가자 하노라。

幸福이 따로 잇나 제 分福을 찾는 게지
제 分福 찾자하니 그게 아니 힘이든가
찾다가 못 찻는대도 나는 차차 보리라。
二. 九 病床에서

『만선일보』, 1940.3.6.

淸遊

綠陰도 조커니와 淸風 아니 더 좋은가
그 우에 새소리는 仙樂인 양 방불쿠나
遊客은 어디로 가고 胜地 업다 하는고

半空엔 白雲이요 大地 가득 香氣롭다
自然과 노는 이 몸 이 또 아니 즐거운가
세파에 시달린 혼이 온갖 苦를 닛노라。

富貴와 功名이란 分福 잇서 누린대도
오늘의 淸遊마는 八字 업시 누린다네
紅灯에 노는 벗이야 알라곤들 하리오。

世上事 꿈이외다 浮雲치 바려두고
한평생 알몸으로 自然 속에 살까보이
가슴속 一萬 시름 다 그러자고 하더라。

『만선일보』, 1940.5.16.

이향엽(李香葉) 편

멀구다래

奶道山 멀구다래 까마케 열면
이 골작 숫처녀들 들떠 만난다
산말낭 타기는 제조하 타고
발길이 멀다고 핑계만 한다

얼골이 깜다고 험보랴든가
멀구를 따먹고 껌어나젓지
열일곱 처녀라고 말조차 업다
피리만 들려와도 가슴만 뛰네

멀구는 奶道山 멀구를 찾고
며누린 멀구장수 딸을 삼으요
맘 조하 주는 멀구 그저나 먹고
연지분 얼레빗 날 사다 주오

『만선일보』, 1941.1.11.

豆滿江이 풀리면

三冬節 어러맥힌 豆滿江 물은
東南風 비바람에 설설 다 녹고
수집은 이 마을 處女의 맘은
진달내 필 때면 제 먼저 핀다。

역거서 달아맨 떼목의 줄은
바람만 부드처도 끈어지것만
연약한 處女 가슴 매저둔 정은
꿈인들 이즐소냐 끈여질소냐。

兩千里 구비구비 흘으는 물은
내 갈길 港口라서 실어만 가도
단봇짐 꾸려들고 내 다른 處女
뉘 볼라 離別 고개 넘어서 가나。

『만선일보』, 1941.1.18.

江이 얼기 전에

구진비 뿌린 날도 바람을 바더
살네물 구비물에 떼목을 타고
새벽달 바라보며 노젓고 가는
우리네 歲月이야 물에서 半年

버들밧 숩 속을 끼고 흐르는
豆滿江 뱃사공은 간 곳 업건만
江언덕 옛집에는 물방아소리
쿵덕쿵 잘도 난다 물결도 운다

이 江이 얼고 보면 못 가는 筏夫
三冬을 어드메서 묵어날소냐
끌어온 落葉長松 떼목을 달고
가야 할 물결은 兩千里라오。

『만선일보』, 1941.11.6.

이호남(李豪男) 편

마을의 風俗志

一. 박

아주 둥근 박이 남몰래
집웅에 기여올낫다
해볏 쪼이며
이 볼 저 볼에 화장한다
수집어 입새에 낫가리고
가만가만 마을을 도적질해 본다
누집 누나 나 따러오나 하고

二. 옥수수

누른 알빽이 하—모니카는
바테 잇슬 땐
바람이 항상 불어보고
간혹 잠자리가 부러 보더니만
마을에 오니
이빠진 할머니 빼노콘
어른도 아이도 모다 불 줄 아네

그러치만 보표(譜表)는 업구
사악사악 소리로—
마을은 모두 음악가야

三. 해바라기

누님 얼굴 가튼 해바라기는
김매는 아저씨들 위해
기나긴 여름날
조을며 보아주든 마을시게
해바라기는 가을 잡아 태엽이 다 풀녓다
얼골 껌애지며 머리 숙으린다
너무도 슬퍼서
눌은 시게 바눌을
하나 둘 땅에 떠러트리며—
해바라기가
마을해를 보아 안 주니
가을 날은 아주 짧다。

四. 삼(麻)

바지랑대에건 삼갈기 땅에
닷고 남는다
옛말에
선녀의 머리카락 삼단 갓탯다니
나도 선녀를 보앗다

마당에 세운 겨릅대기
뛵뛵뛰 말노름 조코
등 잡아 불 켜고
무릅 위 박아지에 싹싹 삼 삼는다
나는 어릴 때가 생각난다。
배주의 입고 자랑하다
자지가 비처 놀녀주든
그 동모가 그리웁다
그 고향이 보고 십다

五. 정에

바보 가튼 정에야
오라고 너펄거리는 거냐
가라고 너펄거리는 거냐
박쥐 가튼 새들 여간해 가지고
쫏는다드냐
지금 저긔서는 먹고 잇단다
말 못하는 착한 정에야
너는 상급을 밧고 쫏는 건냐
만약 안 준다면
곡식을 죄다 먹어 버려라
준다면 가치 쫏자
너는 너펄너펄 손질하고
나는 목청이 터지게 부리며

六. 고초

된장 먹고 냠냠

고초 먹고 코─코

눈물이 나온다

진땀이 나온다 코등에 빠지직

고초는 매와서 ○다

불근 고초가 기둥에 열릿다

집웅을 싹 더펏다 ○지라케 고초야!

기둥에서 줍웅에서 어서 나려오렴

초가집이 문허질나

문허지면 겁나

내 얼골이 껌애질나─

- 九、九、二六

『만선일보』, 1942.10.11.

임백호(林白虎) 편

氷河

마음은 차다―ㄴ스리 얼어부틀 氷河
그밋 설레이는 深淵이 가로 노혀
밤낮으로 아우성 가슴을 따리다。
갈매기도 珊瑚도 조갑지도
하늘에 노니기 전 窒息하다。
하얀한 太陽 아래
얼골은 준은 미이라
녹을 줄 몰으는 판장 밋테서
나의 배는 둥그런히 가라안는다。
왜 말도 업시 흘러갓느냐
왜 말도 업시 上陸햇느냐
한낫 燈臺도 업는 距離에서 가슴속
웅얼대는 밀물소리 드르며 살어가거니
지새면 蒼空만이 드노플 世紀가 노혀
꺼질 줄 몰으는 年輪이 백힌 나의 氷河여!

『만선일보』, 1940.12.19.

淑

직힘 구렁이가 따바리를 튼다는 瓦家이엇나이다
祖父는 虎皮 마고자
기—ㄴ 설대장죽이 玉재터리를 두다리고……

女人의 우슴이 大廳을 넘으면 亡헌다기
언제나 죄고만 蓮堂이 宇宙이엿고
孔子는 嚴해 오라버니와도 마주 안뜰 못해서……

倫理 뒤에 붉은 댕기 자라서 갸웃거려도
바늘이 纖手를 찔으면 숫菊이 우릿나이다

가금 각담 위로 넘겨다 보는 선비의 얼골은 커서

가슴은 울렁거려도 입은 구지다든 벙어리—

『상놈은 마대』라고
선비 떠난 소문 귓결을 따려도
다시 한번 가을달을 삼키고 가슴이 메여젓거늘

시름 만흔 염랑을 째매
孔子 따라 孔子 따라 시즙간 그 후
사나운 傳說만이 욱어진 몽성한 日月은 가고

淑이 앳되게 예웨 죽어가는 어느 밤
호롱ㅅ불에 씨르라미 흐느껴 울어
검은 밤에 달겨든 나는 상사구렁이
상사구렁이

『만선일보』, 1941.1.10.

귀여운 꿈

새장에 갓쳐 강영에 매달인
아름다운 종달새는
푸른 하날 바라보면
파란 꿈을 꿈니다

엇저녁 잡아 너흔
창포밧 씨르라미는
엄아한 벌레장에서
단이슬이 먹고파
하얀 꿈을 꿈니다

들창에 기대여서
하날만 치여다 보며
중얼거리는 귀여운 동생은
온 아츰 날리간 비행기 보고
저도 비행사 되겟노라
빨간 꿈을 꿈니다

『만선일보』, 1941.2.14.

梟

나의 魂靈 서러운 梟야—
구슬픈 가을 밤이면 가지 안켓느냐.
실루—엔과 실루—엔을 밟으며
人蹟도 업는 갈부던으로 가지 안켓느냐。

달밤 능화 우에서 嗚咽하는 胡豪
떡입을 밟고 우는 虛無로운 哀狐
먹을사록 배곱플 鄕愁를 마히며
오로지 점잔흔 梟 우리 가지 안켓느냐。

나의 魂靈 외로운 梟야—
네가 안타까운 伴侶를 부르든 물리치든
久遠한 愛情의 飢餓에 허기짐을 나는 안다。
呪咀롭도록은 發狂하는 心思를 나는 안다。

愛情이 親友를 嚴擊하는 날은
憎惡가 누깔을 빼여먹는 날은
얼마나 얼마나 슬픈 일이겟느냐。

얼마 안되는 風景을 追憶을 다듬으며
우리는 우리의 파노라마를 달래이지 안켓느냐。

우리는 우리를 派守하면서 실컨 울어보지 안켓느냐。
부헝 부헝 참을 수 업는 不平을 울어보지 안켓느냐。

『만선일보』, 1941.2.15.

鸚鵡

쪼잘거리는 버릇을 배운 것은
确實이 아람찬 悲劇이엿다。

하로종일 지저귀고 나면
의레 일허지는 무엇이 잇서

만저보고 꼬집어 보와야
갓출 건 다 갓추엇건만

나의 자랑하고 거느리는 知性이
몸에 테두리를 씨운 것을 깨달은 저녁

지친 叡智가 앳되게 몸에 서려
넉두리하는 외로운 넉이 잇다。

항상 나를 떠날 줄 몰으는
내 가여운 그림자와 마주 안저……

외로움이 肉重하게 앙겨드는데
한사코 가벼워만 지는 體重이 설꾸나。

『만선일보』, 1941.8.27.

石佛

함추룩이 감증년
옛날을 짭으시나

자—ㄹ 잘 잘
銀裝刀
샙파란 銀裝刀 끄을며
花郞 오시는 가부이
「그만 구지 다든
사립門을 여올세나!」

阿也 만우세야
오한이 솟는 劍舞에
붉은 피 쪼루룩 吐血하며
고깔을 염여쓴 哀妓 氣絶하데

맑디맑은 胡蘆 부어
도—ㅇ 동 聯珠詩
竹帛에 豪唱하시려나

열한 피 복가올라
따스한 體溫 아리잠직
아리숭 아리숭 魂靈이여!

슬픈 金冠이 이고 십나
燦爛한 멘두 얼고 십나

「이제 그만 툭툭 터시고
錦衣還鄕 하시게나!」

『만선일보』, 1941.3.8.

각씨

풀각씨 머리 빗겨 소꼽노리 하든 채로
羅衫 족도리 金鳳釵 臙脂 찍꼬 가마타고 왓고나

체—네란 아장스런 이름 버리고
새아기라 불리울 제 부끄러워 부끄러워
숙어진 蛾眉

羅衫이 무겁다。
족도리가 무겁다。
金鳳釵가 무겁다。

기꺼워야 할 가슴、무엇에 복개누?
꼭감 대추 노와도 서럽다。
괴임떡 약과 나조반 노와도 서럽다。

삼을 삼고 질꾸 냉이고 뜸새 염이고
시부모 시집사리 까다로운 예모 뵈이며 자랏다。
시어머니 극썽스러워 시누이 극썽스러워

琴瑟이 갈린 祖母이며 예쁜이 어멈……

아당찰 新房과 보도 못한 新郎 무서워 파—라케 질럿지

紅裳을 춰여주며 위해줘두 타일러 주어두

씨워진 족도리마냥 서러워 서러워……

그 머리 七寶五色이램두 가슴에 무서움이 안겨

웃도 못하는 이 고장 나어린 각씨

羅衫이 運命처럼은 대견하니 무서워

屛風에 그린 닭 하마 홰를 칠 날 잇슬 때까진 서럽지 서럽지。

『만선일보』, 1941.3.14.

山울림

나의 詩는 孤獨한 山울림이다

巷間의 絶望이 뭉치여 쏘다노흔
서럽도록 가엽슨 山울림이다

외로울 때 울쩡이 도들 때 독수리처럼
정수리에 날러와 울부짓는 山울림이다

眼下에 티끌이 업다고 해도
올여다 보는 茫漠한 하늘아

부질업는 悔恨도 업슬 듯 하다만은
줄곳 蒼空을 徘徊하는 서름을 아느냐?

달래는 자장가가 高孤해도
넘우나 淸澄한 어머니야!

『어디 두고 보자』

『어디 두고 보자!』
永遠한 白痴처럼 되곱는 애달픈 품아!

이 마음 그만은 안다고 해도
그래서만 조흔 것이랴?

이제 그만 닷고도 십흔 나의 山울림—

울어 보아라!
우서 보아라!

『만선일보』, 1941.12.4.

木馬

다만 明澄을 바래는 거울의 鄕愁
티끌만한 汚點에두
마음이 달뜬다

어느 哲學에
나의 깃은 잇느냐?

太陽이 빗긴 世界에는
어나 곳에나 黑點이 잇드라

廻轉木馬를 타고
敗北이 陳列된 거리를

아로 삭인 推移와 風蝕을 보며
木馬는 노새처럼 울고 간다

오—나의 울쩡이 돗는 쎈트해레나

『만선일보』, 1941.12.5.

啄木鳥

하늘을 보는 일이 업다
啄木鳥는 몸이 고와두
마음을 쫏는다
슬픈 年輪만이 휘감긴 古木이
서정귀를 쫏는다

홑구멍에 肺菌처럼 욱실거리는
버러지 아픈 버러지……
똑 똑 또르르륵 孤寂한 소리
가슴에 도라드는 소리
이날 해도 헛되이 그므는도다

달래줄이 업느냐? 그리운 손아
몸이 고와서 차라리 서러운지고

밤이 오면 푸두둥 날러 가거라
運命 가튼 애린 가슴을 두다리며……
주뎅이가 무데라 주뎅이가 무데라

啄木鳥는 도시

하늘을 보는 일이 업다。

『만선일보』, 1941.12.6.

장관규(張觀奎) 편

마음

내 마음
물 우에 달갓나
가는 바람만 불어도
물결이 설레여 이즐어지다
다시 고요히 둥글어지다

내 마음
물 우에 달갓다
적은 돌만 던저도
달 그림자 산산히 부서젓다
다시 고요히 모여들다

내 마음
永遠히 물 우에서
바람에 불리고
돌에 부서지다
平安한 날 업서라
　十一月 二十七日 夜

『만선일보』, 1941.2.19.

安東舊市街

惡臭와 騷音의 潮流 미테
哀切한 鄕愁가 숨어 흘르고
灰色 벽돌집 어두운 房 속엔
阿片의 오래인 꿈이 흐리다

요란한 喇叭소리 鉦소리 胡笛소리
色彩가 구역나는 人形과 造化
아이 아이 우시는 인第 멧 號이신고
滿人의 葬列이 紙錢을 날리며 지나간다

어느듯 魔窟에는 불이 켜지고
故鄕을 일어버린 박꼿들이
허—여케 허—여케 싀들어만 가는데
疲勞한 박나비떼 소리 업시 날어든다

一、一二、三 夜

『만선일보』, 1941.3.19.

장기선(張起善) 편

寸感 (三首)

1. 滿洲의 봄

新婦의 거름인 양 힘 도드네
빗최이니 또약볏
들비레 呼吸엇어
하늘도 얏하나요。

2. 矛盾

부처 殺生 말앗거늘
오날의 僧侶
戰爭을 聖戰이라오
산 遺骨!
마음 밤인 양 캄캄하오
明日!하고 머리드니
가업시 푸른 하늘

3. 生命

눌른 바위 무겁다 안고

한 폭의 푸른 풀
고즈낙이 머리드오
　　一九四〇年 四月 十二日 作

『만선일보』, 1940.4.15.

창을 열면

한것 놉은 하늘 또 水晶 갓은 呼吸
솜인 양 구름 가벼웁고
명주인 듯 바람 보드럽습니다。

비단결 맑은 강 조용히 흘르고
고웁게 빗나는 해와 달
반짝이는 별 사랑스럽습니다。

창을 열면 조롱에든 나의 想念도
놉게 날려도 보며
아츰 이슬인 양 맑아도 봅니다。

창을 열면
빗업는 苦悶 또 憂愁
모다 한낫 띠끌
마음 하늘가 적은 별로
반짝입니다。
　- 1940년 5월 20일

『만선일보』, 1940.5.27.

간 벗을 생각하고

일만애 가진 시름 말로 못 풀 心事이다
꼿가튼 스므한 봄 깃사옴 업다드니
마침내 괴로움에 지처 모진 병저 누웁다。

세상이 차고 또 차 외로운 맘 둘 곳 업다
한—갓 冥府길만 그리고 또 그리드니
오날엔 한 福祉 잇서 그맘 편히 쉬나뇨。

이 누리 조용하니 별빗 더욱 고읍도다
故人의 넉시 저 별나라 기뜨린다 드럿더니
이 한밤 어느 星座에 그대 넉슬 뵈올까。

리별이 그 리별이 서러웁다 아니 우네
뽐만한 그대 生에 만가지로 도친 가시
그토록 뽑을 길 업섯슴 그를 슯허 하노라.
- 1940년 12월 4일 밤

『만선일보』, 1940.12.10.

장만영(張萬榮) 편

离別

賣笑婦 쏘니야의 숨 속에 困한 내가 잇다
나의 가슴속에 离別의 서러움이 잇다
서러움 속에 뜨거운 눈물이 잇다

비를 告하는 차디찬 새벽 새벽꿈이
琉璃窓에 나타날 제 안타가운 마즈막 테—제……
쏘니아의 서늘한 검은 눈썹에 갑작이 방울방울 맷는다

쏘니야! 너의 愛情은 나의 靑春에게 아름다운 花粉을 裝飾하려 하건만
—오오 殘忍한 새벽은 몃 번이나
우리에게 눈물을 督促하엿뜨뇨?

흐득여 우는 것은 窓박게 보슬비다
눈물을 흘리는 것은 귀여운 쏘니야다
灰色의 庭園을 휩쓰는 것은 追憶의 바람이다

사모왈이 끌코 잇는 寢室, 나는 거기 두고 온 쏘니야를 생각하며

어두운 층층게를 나려간다

층층게를 나려가며 오랜 歲月의 寂寞을 計算한다

『만선일보』, 1940.12.22.

장응두(張應斗) 편

피에로

몸은 辱된 거리에서 陰雨를 맞즈나
心理는 매양 물가치 조찰할랴는 意慾

不義를 배아터 버리고 남음이 업스되
속속드리 쇠어만 가는 純情.
너와 너는—
그 뉘는—
墳墓처럼 제제금 외로히도 살어가드니

거센 아라비아의 말굽으로
자근자근 짓밟힌 花園인 양.
푸른 하늘과 붉은 太陽을 떠바덧서도
외로히 슬프게만 살어가는
나는 「피에로」란다。
언제나 도라 오랴
오 언제나 도라오랴 나의 나달이여!
헛되인 꿈 永遠히 銀河에 깃드린 꿈이더뇨

- 柳致環兄에게

『만선일보』, 1940.12.25.

苦情

壁 한 겹 넘어로 푸른 하늘이 걸렷대서
내 무슨 기쁨이리오

흙으로 싸흔 마루길래
지지리 닷는 迫害에
嘆恨하는 눈물이리오

자리 허술하야
无顯한 덴등이기에
이는 남몰래 자라는 다른 心性일리니

지난 슬기의 꿈이 榮華의 冷灰를 零零히 밟고 섯다기로
내 속속은 이리도 서러우랴。
왼갓 재災이 나를 이끌되이는—
내 周謀의 處方을 이바지하는 於理이매
어찌 내 嚴然한 正色을 일흐리오。

왼갓 陰謀와 虛爲가 秋霜가치 서리어

내 身邊을 노리기로

나는 오로지 歲月이 가진 한 토막 時間이리라。

- 柳致環兄에게

『만선일보』, 1940.12.31.

장인석(張仁錫) 편

北方의 詩

北風이 가슴을 콕콕 찌르는 밤
나의 旅情은 외롭게 北方을 찾어간다。

그 故鄕 白樺林 숩속에서는
하로종일 가마귀가 서러웁게 울고
禮拜堂 보이는 夕暮의 風景은
나의 浪漫性을 자라내엇다。

國境에서는 하로에 몃 번씩인가
素朴한 傳說을 실고 썰매가 往來한다。
少年인 나의 손고락을 입에 물고
몰내 고개 우에서 썰매와 離別한다。
그때에는 眞珠 가튼 눈물이 뺨을 시처주엇다。

어미는 콧물을 훌적훌적 드러마시면서
조고만 溫突房에서 童話를 들려준다。
나는 어미물팍에 지태여

자장가 듯는 것처럼 어느새엔가 잠이 든다。

星座의 色彩가 大理石처럼 선듯한 밤
나의 旅情은 오늘도 또 외롭게
追憶을 두고 온 북방을 차저 가누나。

『만선일보』, 1940.1.13.

冬日

영창 저—便에는 오늘도 산을 넘어
나를 자장가처럼 抱擁해 준다。

展望에 疲困한 내 눈瞳子에는
힌 山脈이 眞理가티 빗이 이누나

黃昏이 숨박질 할 때에는 반드시
貨物車가 北方으로 逃亡을 간다。

그 北方서 차저온 葉書 한 장에는
高粱酒 냄새가 콕콕 코를 찔릿다。

나는 새파란 嬰兒처럼 또
힌 衣裳의 女人을 思慕하는가 보다。

영창 저—便에서는 가마귀 무리가
白樺林 우에서 家庭會議를 열고 잇다。

『만선일보』, 1940.4.15.

정광야(鄭曠野) 편

生苦

안개 속에 무지개 서고
꽃이 별처럼 피어나는
天使도 우럿다는
그 神話의 언덕을 넘고 보면
한푸염 갓흔 삶을 박쥐 나래처럼 퍼덕이며……
스물세 해는 괴로움 속에 괴로움 속에
외로운 洞窟을 헤매인다

四、二 新京에서 北原兄께

『만선일보』, 1940.4.30.

大同公園

花台의 瑩舞처럼
濃艶한 愛態에 거즛 素裝한 表情
洋髮처럼 어슬핀 버들꼿해
防腐劑 냄새 體臭처럼 풍긴다。
混濁한 湖面은 구름 하날까지 담기여
夕暮의 들窓처럼 어스름한데
뽀—드 白色塗裝은
물오리처럼 아양을 떤다。
草堂의 白樺 기둥은 손때가 전설처럼 뭇고
古壁의 呪術가튼 老爺는
험상굿게 午睡가 느러진다
幸福의 化身처럼 美裝한 散策群은
貯藏庫 生魚처럼 파닥인다
都心의 强烈한 呼吸이 聽診機처럼 담겨오고
休日의 굴닌 마음들이 어지러운 한나즌
나는 私生兒처럼 이 公園의 疏情에 돌리며
草原의 무릅을 만지다
孤塚처럼 업디여 春愁의 베일을 쓴다。

七、五、一 龍井弘中 李의게

『만선일보』, 1940.5.4.

정야야(鄭野野) 편

거리의 碑文

大理石 삘딍에
神話가 油液처럼 흐르는 밤。
女人은 二十世紀의 傳說을
聖母처럼 受精한다。
明體의 彈力의 풀니는 花房
閱華의 燭臺 압헤는
獨生者의 來世를 비는 一族의
白金義齒로 별을 까는 饗宴을 연다。
秘園의 메리코란드에
神樂의 振律하는 한나지면
獨生者는 呪文을 流行歌처럼 부른다。
交叉點에는 礫死의 事故가 이럿다。
「靑進赤止」信號는 번가러 든다.
昇天하는 獨生者는 二萬七千群이
氣流을 헤간다.
花房이 女人은 傳說을
또다시 受精한다。

『만선일보』, 1940.5.14.

조연현(趙演鉉) 편

都會의 生理

거리를 것는다 孤獨한 나날에 배운 나의 習性이웨다
찌저진 구두! 찌저진 옷 찌저진 마음!
나는 이름도 업는 詩人이웨다 그리고 거리여! 너는 언제나 『콩쿠리드』처럼 차거웁다

魚族처럼 헤염치는 女人들은 新刊書와 가튼 愛情을 가지게도 하나 凡庸한 내 수물둘의 靑春이 머리를 들면 記憶은 무서웁게 꾸짓는다 아푼 마음!

追憶은 항시 片紙처럼 『포스트』에 던저버려도 筏箋을 달고 가슴속에 뒤도라와 잇서 나는 그것이 잇처지도록 일하고 십다 農夫처럼……

驛! 어느새 待合室의 쪼각진 『뻬스』에 안자 머ㅡㄴ 旅程의 날을 計算해본다 어제도 오날도 이 거리를 逃亡할 陰謀를 길여왓다만…… 롱 속에 잽핀 앵무보다 더욱 슬푸게 都會의 生理 속에 잽펴잇는 니여!

一二六〇一、十、十六

『만선일보』, 1941.11.12.

小夜譜

소리 업시 쏘다지는 어둠처럼
소리 업시 쏘다지는 웨로움이 잇서도
나는 슬푸지 안흐련다

꼬—ㄱ 쥐여보면
샘처럼 솟는 힘!
나는 해바라기처럼 安睹하며 나를 밋는다

문허진 『이니시알』의 遺言을
地圖 쪼각인 냥 주서 부치면
차저가는 나라의 죄고만 羅針盤도 되리

푸른 銀河水의 『제스추어』가
現實의 무서운 陷井이래도
나는 基督처럼 怯내지 안흐리라

다음 날
가장 아름다운 靈魂의 誕生을 위하야
어둠처럼 쏘다지는 웨로움에 지지 안흐리라

『만선일보』, 1941.12.3.

조준철(趙俊哲) 편

그날 밤의 記憶

먼-北極의 氷房에서
季節의 旅路에 올은 거센 朔風이
미친 듯 딍구는 異域의 街頭를
馬車에 몸을 실어
古友를 찻든 그날 밤의 記憶-。
아모 말 업시
서로 꽈악 부리쥐든
손과 손의 뜨거운 觸覺
이윽고 溫厚한 微笑가
사르르 피어나든 感激의 瞬間。
보글보글 끌든
된장찌개를 가운데 노코
펄럭이는 문풍지의 몸부림을
귀담아 들으며
끈일 줄 몰으게 주고 밧든
多情한 이야기。
나의 親愛하는 벗이여 生覺나는가?

-꺼저버리려든 젊으니의 情熱을

다시금 불 붓게 하든 그날 밤의 記憶을……

康德 六年 晩秋

『만선일보』, 1939.12.1.

조학래(趙鶴來) 편

괴로운 詩人의 書

石炭 냄새 窒息할까
두려운 "페찌까" 압
對象이 업는 이 밤은
벙어리인 양 말 못하는 沈黙의 時間이
짤부면서도 空然한 過去를
불러 세우련다。

사슬을 찾는 이!
묵어운 마음은 志向도 업시
―萬가지 傷心을 둘추고 둘추고―
밤은 琉璃窓에 비치운 낫빗까지
蒼白하게 하는구나―

孤獨이 彈丸처럼 쏘아오는
겨울의 이 밤
心琴을 울리는 明日의 生活이
넝쿨진 마음에 넝쿨지우나니

옛날은 그 무엇이엿스며
이제 또 未來는 무엇이런가?

밤은 이제 子正을 넘어
또다시 새로운 “스테일”의
彫刻에 숨 갓뿌거니
한 토막 짤분 睡眠도 그리운
墓穴 가튼 이 밤은!
머리맛 쪼각종히에
아~ 返逆이 만흔
歷事의 記錄이 비창하구나。
　　　十一月 十二日 밤

『만선일보』, 1939.12.2.

旅愁

내 가슴 직음 心臟 속
感覺의 港口에 드나드는 青春의
배 배
人生의 航路 그다지도 밧분가?
불 꺼진 信號燈!
燈心이 타고난 재가
가을바람에 흣날려
찌저진 窓구멍으로 새여가네

님자도 가오
나도 간다오
南北으로 흐려지는 運命과 運命을
되마침 업는
生活의 아우성 속에
파무치울 제
이제 다시 故鄕인들
그려서 무엇하리。
　　十月 十八日

『만선일보』, 1939.12.12.

鄕愁

첫 닭이 홰치고 우럿다.
뒷窓을 빗키고
차레상을 드리렴
갈노존에 풍석을 펴시면서 굵은 한숨을
쉬시든 아버지의 말소리가 정영 들리는 듯 십다。

客窓은 流浪 속에 묵근 罪人을 또다시 묵거놋코
콧등까지 샛빨갓케 忿怒해두
스물아홉 時間 路程이 二十九年 가늘 길가티 멀어
故鄕은 항용 안개 속에만 자저든다.
아득히 아득히—

오늘도 때무든 鄕愁는 나의 化身이 되여
故鄕山 洞口 압 냇가를 헤매기도 하고
燈盞불 밋헤 仙人 가튼 아버지를 發見도 햇다。

왓는야 갓는야—
말업는 어머니의 病床엔 藥탕 만든 순행의 우름이

한목음 소릿치고 너머간다。

눈 오는 밤 旱鬼가 지나간 山과 뜨을—
狂人가티 움틀거리는 토백이들의 亂操여!
余響은 葬送曲가티 써얼지만
이 哀願은 엇떠케 들어야 올흔야?
—열잇틀도 멀다는데 열두 달도 안 오고 잇섯냐—
冬天에 별빗가티 간장을 에우고 처량히 빗나는
아버지의 이슬진 눈자욱!

가을바람에 떠는 갈때가티 바삭바삭하는 憐憫의 그 소리!
—정영 그 소리가 들니는 듯 십다.

『만선일보』, 1940.2.13.

海岸地帶

님은 바다를 건너갓다
고둥(汽笛)처럼 설게 갓꼬……
님이 소역히
간 길은 이런 마음갓치
묵어운 벼래(崖)에 꽈악 막혓다
퍼얼-퍼얼-
넘나드는 갈매기 깃쩌즌 우름 멀-리
문허저간 안타까운 落心아
모래알 물고 찬 물길만 애쓰는 波濤야
엇쩌면 뿌리쳐도 달려붓는 未練갓흠인뇨?
포기포기 孤獨 송이송이 피나
검은 바다 검은 마음 검은 바다야 참아 못 참아
또다시 본 고 적은 발짜죽
아하-님은 바다를 건너갓다
"문학청년"
한 줄 아름다운 詩를 生命의로 알고
靑年은 거기 安全의 집을 세웟다
외포기 海棠花 香氣 어려 處女가

올 껏만 갓흔 집을

港口보다는 漁夫들의 노래가 좃타면

여윈 손(手)이 쓰는 詩가 또 더 조앗꼬……

春情은 海潮갓치 풀을 때로 푸른 詩엿다

이슬진 展望이 우름 고인 두 눈

한 曲節 가느다란 바람 쏘리 『뷔오론』 갓태……

목이 말을 때도 靑年은 詩를 썻다

하눌을 보면 울 것만 갓흔

바다를 보면 죽꼬만 십흔

사랑이 離別처럼 그런 桃花色 悲觀이 만엇다.

(2.21 밤)

『만선일보』, 1940.3.5.

候鳥

바람이 분다
東、西、南、北
새 젊은 純情의 선지피(血)
고웁게 그려보는 마음의 想思圖야
아—
歷史는 끗업시 長壽하다
중생은 모두 短命하다
아직도 적은 뽐
연—한 하눌빗
눈물 만케 흐르는 季節의 새여—
입입피 피어나는 愁心 그 외로운 모습!
부출소리는 언전지 애끗는 悲鳴과 갓다。

흐르는 풀닙사귀 닙사귀에
빗치는 빗 일흔 北斗星의 밤 生活!
朔北의 새벽을 悽凉케 울면서
기러기는 간다。
江南이라 제비떼들은 들려서 오는구나

峻한 山봉오리를 넘고

風浪 드센 海峽을 건너

오는 것들

가는 것들

아하— 똑가치 날를 듯 실어도

날 수가 업는

자자리 애기가 송두리채 굴러단이는

廢墟 우슴꼿 날너서

흐터지는 平和의 내 집터에

바람은 분다

東、西、南、北

오날도 來日도 또 明日도

그리고 世紀의 끗까지도—

三月 九日

『만선일보』, 1940.3.27.

園譜

새로운 極光이 무지개처럼 버더난다
삶의 曲節은 田園에서 躍動한다。
白濁한 市井의 좀 먹는 體臭를 잊고
진실은 여기 蜃氣樓처럼 피여나—
布穀새 길—이 光明을 물고 날리온다。
地軸을 파헤치고 무럭무럭 구수한 흙香氣!
千里萬頃 구부러진 耕地!
……멀—리 海灘 가튼 歡呼의 喊聲이 들리는구나。
薰風을 한 아름 마시고
이 봄의 푸른 물결 우에
마즈막 "노스탈쟈"를 싯의라。
또 하나 細胞는 봄 언덕에 부푸러오른다。

大地의 心臟속 우리의 牧場에서 安住하려니
오—
바람에 날려 바람에 부서지는
旗빨을 보라
거기서……

太古는 土地를 물고 왓고
太古는 흙을 떠밀고 갓다
壯한 숩이 지나가고
살진 沃土 토실토실 느리지
寶庫는 안—윽히 展開될
展望 속엔 金빗 太陽이
瀑布가티 쏘다지 나리니
情景은 너무나도 탐스럽구나
慈愛스런 어머니의 젓줄가티
大河는 沃野에 한 幅의 氣流인 듯 흐르다。

이제 地圖의 한복판에 새 氣焰 솟아
燦爛한 黃金물결에 너는 폭은히 잠들리니
오너라 모—두
모—두 오너라
왼갓 農樂이 새 숨결에 빗처저
蒼空에 뜬 솔개미 날개처럼
○○ 홋터지는 이 땅에도……
이윽고 아름다운 天使는
우리를 마저
薔薇꼿 닙파리가티 고운
曲譜를 펴칠 것이다。

　　四月 一日

『만선일보』, 1940.4.27.

憂愁

하나 불빗도 업다
遊引에 걸린 水銀柱 가튼
恨嘖 눈물로 얽거
哀訴는 자지러지게 天涯에만 날리느뇨
울지도 못하고
웃지도 못하고
一破鏡의 射面만 밤낮
白痴만 나누나
입입피 不透明한 心魂
海藻가치 얼크러저
三十燭光 어두운 빗 沈鬱 속에서 너는
純情 입은 그 여느 祖先들에
血痕을 呼吸함이뇨
때는 이미 세월 속에
뿔 빠진 사슴이란다
아하—
거두어라 거두어라
어두운 내방 영창가에서 식검언

帳幕을 거두어라。

終始 無關한 生活의 喪失

피—나래엔 한 줄 月光도 업다

悠久히 憂愁만 안개처럼 서리노라。

『만선일보』, 1940.5.4.

孤淚苦[35]

닙 피는 街路樹 그늘진 鋪道에서
洞穴 가튼 내 宿舍 돌아가는 밤길
千里ㄴ뜻 멀고 萬斤인 뜻 무거워
街燈 밝은 빗 등꼴에 저려드네

四海를 집 삼아
割據의 英雄은 못 되어도
내 마음 내 肉體를
나로서 信奉해
아하-
길지 못한 一生 獨白을 구하다.
靑年은 또 한번 鐵拳을 휘두른다.

『만선일보』, 1940.5.8.

---

35 이 시작품은 독립된 시작품이 아니라 「隨感」란에 「孤淚苦-봄은 이러케 왓다 이러케 간다」는 수필을 4회 나눠어 게재하고 있는데 이 시의 앞부분은 수필 첫 회의 서두에 뒷 부분은 마지막 회의 끝부분에 첨부되어 있다.

봄산

지푸른 山언덕
호젓한 草屋
불이
호롱불이
밤내 짬울 그리며
촉촉히
구비치노니
안개만 실실히 흘너서 새누나。

於吉林 三家子

『만선일보』, 1940.6.1.

風土記

내 무슨 神秘를 차즘이냐
山빨에 드러찬 싸리꼿도 달굽지 안타。

어듸 가슴을 헤치고 숨 쉴 平原이 잇뜨냐
그럿타고
시원한 江물인들 흐르드냐
또 무슨 奮裝인들 이슬 건고?

世月은 山에서 山으로 흘넛나니
또 山에서 山으로 흐르리라。

『만선일보』, 1940.8.16.

蒼原

쓰르람이 노래 흐터지는
하눌 아래
구름나무 숩 우흐로

바람을 따라 도라가는 오란다 風車가 보인다。

窓에 기대서면
발미테 느러저 繡紋이진 지평선
뜰菊花 훗날리는 길섭에
九月의 太陽이 아릿하다

하―모니까를 부러도 조흔 걸
湖水처럼 물결치는 蒼原에는
鍵盤 우헤 뛰노는
어느 令孃의 쏘푸래노만 밀려든다。

『만선일보』, 1940.9.18.

가을의 詩

薔薇가티 피여나는
구름도 가고
하늘이 놉다
맑—앗케—。
싸늘한 體溫이여。
이슬이 찬 草原에
地殼을 해치노니
버레ㅅ 소리만 슯으다

『만선일보』, 1940.10.2.

現代 · 詩人

눈송이가 배꽃닙처럼 흣날린다。
地球—。
늙은이 배통갓치
起伏이 많은 線 우에
샨데리야 갓튼 태양이
풋化粧한 城壁을 넘는다。

등심이 구든
슬음의 벌판。
傳說의 삿갓을 쓴 진달내 꼿밧티
소낙비 오는 "푸로무나—드"가 되는
現代 現代 現代 現代 現代

詩人아—。
너는 全生涯를 두고
버들밧 꾀꼬리처럼 울기만 하고도
시집 못 간 女人이 아니드냐?

詩人아—
눈송이가 배꽃처럼 훗날리는
등심이 구든 슬음의 벌판으로
五圓짜리 후와이바—추렁크를 들고
헤매면서 헤매면서
이제는 박장을 치고 우서도 조타。
이제는 박장을 치고 우서도 조타。

　　十二月 一日 作

『만선일보』, 1941.1.29.

秋思詩

바다는 새파아라쿠 출렁대이구
港口는 흐리엿구
나룻배는 돗대를 안꼬 쓰리질드시
불상하게 억매여 잇는데
안개는 실솜인 양 나래를 접어……

삿사치 헌크러진 구름짱
사실 만흔 구녕이 뚜러진 하늘이다
그 하늘 그 구녕
아—그 속에서 싸늘한 가을바람이
부러오는 것이다

낡은 歷史 나 만흔 흙덩이 우에
대견튼 가람이 지는 가을바람이로다
들판에는 얼눅으로 채우고
바다에는 물결도 채울……

살자한들 살손가?

푸른 것들 푸른 것들

—불타는 따리아여

—어여쁜 코스모스여

肺病쟁이 양지 가튼 落葉은 바람에

채우고……

갈매기는 못쓸 종이쪽처럼 휠—휠

날리만 가도다.

咸鏡線 旅路에서

『만선일보』, 1941.11.10.

春風第一章

意識이여 살어나오라
精神이여 軌道에 서라
새 歷史여 물결 처오라

그 크나큰 이데—이데—의
물결처럼
야자수 그늘에는 뺀죠소리가 이미 업다
낫비치 검은 스리—니—들이 로지칼
한 모임을 연다
그러나 그것은 역시 파라독스가 아닐 수 없다

새로운 해는 거기에서 브리 솟고
바다 우에 섬 우에
봄바람은 거기서부터 이는데
아—나는 이 봄에는 새 소식 들으면서
먼—동산으로 澎湃한 봄마지를
가야 하겟다。

눈을 감으면 그 넓은 地圖 우흐로
南行列車가 밋그러지고
隊伍가 지나가고
風物이 그림처럼 사라서
가고 나면 간 곳마다 사랑이 진다
黑人들이여 너이들은 그대로 퍼저라
불상한 穢血의 스라—니—들이여
너이들은 밋밋한 종아리에다가
새 理性을 세워야 하겟다
—그리고 곱게 곱게 따르라

南쪽의 바다물결은 더 푸르러지고
密林 속에 더위는 차츰 더하리니
사람 사람들이여 모두 변해야만 하겟습
니다 CCR
勇士들을 위하여!
이 나라를 위하여!

『만선일보』, 1942.3.30.

지창익(池昌翊) 편

追憶

바람은 고요히 부러온다
하늘에 별 한 알!
무더운 이 마을도 끗업시 고요하다
오! 지난 날의 가슴 아픈 記憶이여
팟알 갓튼 빈대들이
염치업시 모여들며
늑대갓치 덤비든 곳
그 자리는 옴겻다기로
왜 이 저녁은 이리 고요하냐!
외로히
冊床 압헤 안저 잇는 이 몸
精神업는 人形의 그 模樣과 갓다
呼訴할 곳 업는 寂寂한 이 마음
참을 수 업서
벌떡 이러나니
훗터진 城壁에 힘업는 달빗!
慰勞하는 그이마저 蒼白하고나.

『만선일보』, 1940.6.2.

채백홍(蔡白虹) 편

북쪽

단장이 하도 겹겹히 문허진 구름이
밤내 얼어부튼 북쪽하늘

노래는 이저도 거름탈 고개만 잇서
해 가고 캄캄히 눈 감아 사라질 고개 여러 고개

돌배나무 그늘이 무성한 두멧골
무덤바테 줄을 친 외길은
혹게 송장을 노리는 북쪽길

북쪽은 북쪽은
북두성 그림자를 차거이 밟는 마을
모래는 업서도 사막의 길이 열린
푸른 밤 별들이 못가에 흘러 발을 뭇는 밤에도

칠성널이 만하 자랑인 토막에서 늙은 계집은
우물 속 차돌 가튼 얼골만 우섯다.
　　庚辰 十一、二一

『만선일보』, 1941.2.12.

세 살 네 살

꼿도 꼿닙이 업서도
꼿숩에 입술을 대어 꿈갓튼
세 살 네 살 지난 그림자
마음에 머리를 내미는 해다

뻐—쓰갓치 빗친 말
주름 싸인 할아버지 화화롭은 기리한 말에
밤마다 밤을 직혀 귀를 무든 날은
피여난 노래를 곱게만 꺽든 날이엿고

억지로 억지로
등잔불에 우슴을 태우는 뭇밤
뿌리 뿌리에서 튀여나는
여러 날개를 문 내 마음은
화살갓치 여러 날개 그늘 속에
눈 감아진다
　　二月 二十七日

『만선일보』, 1941.3.22.

채정린(蔡禎麟) 편

고개 넘어 새길

세월의 열손가락마다
구름 하늘이 검게 살지는

망도를 버서 제키고
새벽별 정성 다한 이마에 바더
무엇을 대할지라도 휘휘 날 수 잇는 길
고개 넘어 새길에 래일의 꼿씨알 뭇겟노라

천만리 보면 끗끗 천만리 빗갈 황홀해
감격 우에 묵은 옷을 벗는 나절이요。
내등을 물러간 운명의
손끔 우에 기우린 낡은 이야긘
이로서 끗나겟다

오오래 숫한 가시숩속을
갈라헤치며 따라온 꿈가튼 것이
들창에서 불러 떠나는 날과 날로

한층 거룩할 것이여

이로 벼슬가치 찬란한 습성을 배워
한가 이 길 고개 넘어 새길에
숨 쉴 역사를 올리고 노래를 밧치고
내내 음악가치 건강하리라
- 壬午 四月

『만선일보』, 1942.6.29.

천청송(千靑松) 편

異域의 밤

고요한 밤이면
고즈넉이 들이는 호궁소리 더욱 에닯구나。

함박눈 퍼붓든 새벽역에 떠나가신
사랑선비가 웬일인지 한업시 그립다。

답사리 욱어진 담 밋헤서 숨박곡질하든 흣터진 동무들이 보고 십다。
눈보래 휘날여 문풍지 떨고
말달이는 방울소래 요란쿠나。

옛고장 물래방아간에서 매저둔
기약을 여이고 시집간 순이가 원망스럽다。

화로불가에 이마를 마주 대고
할머니의 이약이를 귀담어 듯든 시절이 부럽다。
먼 동리 개 짓는 소리 은하고

시름업시 눈 나리는 이역의 밤은 서글푸구나。

『만선일보』, 1940.4.27.

無心草

달빗을 등지고 안즌 검은 산처럼
내 맘은 움지길 줄 모르는 즘생갓습니다。

자정을 넘어서 든 잠이
닭우름소리에 선잠이 깨여낫습니다。
지나온 날을 도리켜 보건대
너무나 허수하기 짝업습니다。

내가 미뿐 벗이 못 되다 보니
남인들 참된 벗이 되어줄 이가 잇사오릿가。
버림받음이라고 이다지도 쓰리거든
버림받은 그 여인의 가슴인들
오작이나 압허시랴。

진정한 벗이 업슴을 탓하야
가슴은 쥐여뜨든들
떠나간 님을 기다린들 무슨 보람이 잇사오릿가。

진실한 벗을 사괴고저
내가 남에게 참된 벗이 되고도 십지 안소이다。

알뜰한 님의 정성을 받을 길도 업거니와
고히 감춘 정열을 이바지할 곳도 업나 봅니다。

지나간 날은 무지개처럼 사라지고
내 맘은 슬푸지도 즐겁지도 안소이다。

그음밤 하늘에 무심한 별빗츤
내 마음 전설을 속삭이는 님의 눈입니다。

- 1940. 4 12 夜半

『만선일보』, 1940.5.1.

愚感錄

1

배 부른 豚公은 思索의 銀翼 돗친 人間의 幸福을 享有할 수 업다。

2

참된 사랑이란 報酬를 바라지 안는 사랑이다。

3

喜悅의 술잔은 懊惱의 深淵 속에 秘藏되어 잇다。

4

愚人들이 자최를 감추는 날 宗教는 破産할 것이다。

5

人間에게 賦與된 幸福中에서 無價値한 幸福은 自殺이다。

6

無에서의 創造는 有에 無를 意味한다. 그러므로 無에서의 創造는 不可能한 것이다。

7

人間이란 꿈을 먹고 사는 즘생이다。

8

無上命令의 法律을 직히지 안는 百姓은 人間에 탈을 쓴 野獸다。

9

藝術家란 不幸을 幸福으로 역이는 愚人아닌 愚人이다。

10

醜가 업는 곳에 美가 잇스랴 人間은 醜를 내인 神에게 感謝해야 할 것이 아닌가。

11

教育의 聖林은 懺悔의 우름 우는 자에게만 散策할 特權을 許與한다。

12

痛哭할 수 잇는 悲嘆보담은 울 수 업는 悲劇이 더 悽慘하다。

13

眞正한 幸福의 무지개는 永遠히 잡을 수 업는 人生의 宿題가 아닐가。

14

惡魔를 사랑할 수 잇는 詩人의 마음은 착하다。

15

哲人은 모름즉이 瞑想의 나래를 접고 차라리 산ㅅ골 農夫에게 哲理를 무를 지니라。

『만선일보』, 1940.5.7.

닭 잡어먹든 집

닭 잡어먹든 옛 일은
아릿다운 한 폭의 그림이 되고 말엇구나.
오랑캐영이 병풍처럼 둘러 안고
멀리 아라사의 푸른 하늘을 바라다 볼 수 잇는 곳
이 지역이 고향을 일흔 사람들의 보금자리엿다.
거츤 풀밧테 피는 한 송이 박꼿
토실토실 피어나든 순이는
참으로 못 잇게스리 에뻐젓다.

항상 살림에 조들리는 백성들이지만도
모래성 싸튼 더벙머리적 어린 시절은
아름다운 추억으로 엉켜진 비단 방석 갓탓다.

오색 무지개 번진다든 마을 움물에 물이 마르고 탐스럽게 부푸러가든
순이의 젓가슴이
뚱뚱보 맹가네집으로 가마 타고 갈 줄이야.
니빠진 호물딱 할멈 말슴마다나
절문 사나희들이 모혀들든 순이네 집은

우리들이 닭 잡어먹은 후 기어코 집터가 비엇다。

『만선일보』, 1940.5.15.

無題

마음이
항상 공허에 무지즐 때면

바다ㅅ가로
드려밀이는 파도가 보고 십소이다

그믐밤 하늘을 우르러
별빗을 밤 새워 차지건만

구름 널린 하늘에는
반디불좃차 날지 안터이다

소낙비 마즌 내 가슴엔
정열의 불길마저 꺼젓는가 봄니다。

『만선일보』, 1940.7.21.

傷痕

살여는 意慾은
내 마음에 傷處를 남기엇소

死에 대한 恐怖마저 일흔 오늘
傷處엔 피고름만 담뿍 찻소구러

보람 잇는 삶을 바라
피땀을 흘여도 보앗건만

아름답든 무지개는 사러지고
悔恨의 눈물만이 흘러나리오

살여는 意慾은
내 마음에 傷處만 남기고 말엇소이다.

『만선일보』, 1940.7.27.

무지개 벗친다는 샘

살들한 傳說을 비저내는 움물
오색 무지개 벗친다는 샘—샘물은 정하다。
머리 감을러 나온 姑娘의 그 모습은
華麗한 꿈을 지닌 함박꽃처럼 복성스럽구나。

능구렁이 갓튼 「팡둥」[36]이 노리던 고분이가
나귀탄 新郞 복돌이를 마저 드리든 날도
마을 움물에는 향그러운 무지개가 서리어섯다.

故鄕을 일흔 流浪의 族屬이 고히 가꾼 花壇이
하로밤 사나운 소낙비애 쓰러질 줄이야。

박쥐 나는 밤하늘에 깃을 푼 갈가마귀떼 떠도드니
아닌 밤중에 銃聲과 함께 馬賊이 처들어 오고
秋夕 名節을 압둔 가을밤 洪水가 왼部落을 휩쓰러 가고 말엇다。

36 "팡둥"은 중국어 "房东"의 발음을 한국어로 직접 표기한 것이다. 집주인이라는 뜻이다.

보금자리를 일코 漂泊의 길을 떠난 무리
인제는 어데 가서 아름드리 나무를 버히고
키 넘는 쑥에 불을 질을고
무지개 벗친다든 샘엔
오늘도 암노루가 물 먹으로 왓스리라.

『만선일보』, 1940.8.2.

短詩一束

해바라기와 나팔꽃

키다리 해바라기는
오늘도 나팔꽃보담 아츰인사가 느젓다

哲人

쓰러지는 草幕 속에
호올로 꾸리 안즌 哲人
生과 死의 神秘로 엉킨 思索의 거미줄을
야속히도 소낙비가 헐크러 버렷다

戀人

못 보면 그립고
맛나면 얄밉건만
그는 언제나 내 가슴에
오색구름을 피어 주는 사람

『만선일보』, 1940.8.15.

밤

싸락눈 사분사분……호젓한 밤 겨등은 불똥을 느린다.
빈 방을 직히시는 하라바니 옥쉬 속갱이로 등을 글그시며
아름드리 그림을 펴신다. 펴신단다
큰아매 무릅 베고 베고 볼이 미어지게 감자 먹든 장손일랑
호랑이 옛말에 취해 잔다。 코를 곤다。
짭짜리 지러가신 아배는 안 돌아오고 닭이 두 홰를 처도
문풍지가 울어싸도 곱새등 누님과 제미는 바느질로 날 샌다。
작년에도 그럭께도 이런 이런 날 호우적이 마을에 들어섯다
새벽 이른 새벽 역에。

於吉林

『만선일보』, 1941.3.1.

冬夜[37]

겨등불은
문풍지와 함께 떨고

웃고방 하라바니는
옥수숫갱이로 등을 글으시며
대통을 문턱에다 터신다

큰아매 무릅 베고
감자 먹든 장손일랑
범이야기에 취해 코 곤다

짭자리 지러가신 아비는 안 오고
달기 두 홰를 치도
곱새등 누님과 제미는 삼 삼기에 밤을 샌다

---

37 작자가 밝힌 것처럼 "밤"의 개작. (『만선일보』, 1941년 3월 1일). 운률이 많이 달라졌으며 또 『만주시인집』의 「先驅民」 "3.雪夜"와 비슷하다.

작년에도 이런 이런 겨울밤
눈보래가 몹시 아주 몹시
사나웠다。

(『밤』의 改作)

『만선일보』, 1942.2.23.

상설

시집간 누님이 삼 년만에
상설을 차려 가지고 오든 날
죽은 제미 생각에
서러워 서름에 겨워
아배는 술이 취해 작고만 울엇섯다。
태석 과줄 찰 등 속
한 술귀 가득 싣고 온 매부가 조왓다
남들은 늙것다 뒤말 하지만도
부디 바로 그날 밤 호우적이 처들어 왓지만
나는 감자굴에 들어 가서도 태석을 노치 안엇다。

『만선일보』, 1942.2.23.

先驅民[38]

山은 山山 또 山들은
묵重히 도러 안젓고
森林에는 풀숩 욱어진 들에는
들즘생의 아우성이 요란햇다
封禁된 지역 荒蕪地
密林이 언제 열릴 법 햇스랴만
나귀탄 族屬이 잇서
오랑케嶺을 넘어오든 날
아름드리 나무는 찍히고
키 넘는 쑥에는 불길이 노팟섯다。

『만선일보』, 1942.2.26.

38 『만주시인집』에 수록된 「先驅民」 "1.移住民"과 비슷하다.

최분옥(崔粉玉) 편

大地의 母[39]

업지요
설음도 都會 밤거리 가티
장식한 깃붐도……
그저
한가지 살려는 정열뿐-

원은 해밧소
요람에 누은 애기인 양
보드랍은 生活을
그러나 내 요구는
연기 가튼 虛無임을 알엇소

나는 벌서 짐승가티 입을 닫엇소
오늘도 애기는 연분홍 살구꽃

39 신춘문예 시부문 가작이다.

나무 그늘에 잠 재우고
보리 바테 김을 매오
때로는 도야지 떼를 몰고 뜰로도 나가오。

뜰 大地의 뜰이란 生의 만족
록음이 끗업는 大地는 기름지오.
저기 누인 애기、또 天下의 애기들의
락원을 이 따에 建設함이
나의 唯一의 깃붐이요。

『만선일보』, 1940.1.10.

최석례(崔碩礼) 편

함박꽃[40]

비렁 여페 두고

그늘에 핀 함박꽃 조와하든 그대

素服 단장이 눈에 새롭다

五月 한낫에 바람이 가져다 주는

힌 함박꽃 내음새……

石油 한 통 단번에 들이킨 듯 가쁜 숨결이야

간이는 간이는 消息도 업고……

코스모스

어늬 먼—데 님을 기다려

담장 넘어 발도듬하고

섯다가 채 피지도 못해

시드는 꽃은 서러울 게다

조선 경남 陜川郡 海印寺

『만선일보』, 1940.1.4.

40 신춘문예 시부문 가작이다.

최인욱(崔仁旭) 편

山家에 쉬면서[41]

달 밝은 이 한 밤은 사슴이도 서름지고
눈 속에 발을 뭇고 밤을 새워 우는고녀
客窓에 쓰러진 몸이 잠 못 일워 하노라。

미투리 단보짐에 집 난 지 열두해라
이내 서름인들 오죽이나 하올 건가
사슴이 목 매인 우름에 둘데없는 이 마음。

山家에 밤이 기퍼 잠들 때도 되엿건만
그 무삼 서름이기 그칠 줄을 모르고서
기나긴 이 한 밤을 울어 새려 하느니。

『만선일보』, 1940.1.11.

---

41 신춘문예 시조부분 당선작이다.

최재철(崔在哲) 편

雪夜日記[42]

왼누리를 한결가치 히게 하려고
함박눈이 소리 업시 나리십니다。
이 밤은 웨 이다지도 幸福되온지
窓가에 턱을 고이고 안저
“산타크로스” 할아버지를 연상하외다。

눈나리는 窓가에 옛 꿈이 깃드럿나이다。
힌 장미 꼿다발을 가슴에 안꼬
그대가 차저오실 듯 하온 밤
永遠한 幸福이 이 가슴에 잇사온데
이 幸福을 난우시려 안 오시러나이까。

책상우에 흐터진 便箋紙 우에
孤寂을 固執하는 내 마음 뒤에선

42 신춘문예 시부분 가작이다.

그대의 香臭를 그리워 몸부림 치나이다。

聖女의 힌 나래 안에 안기어
山谷의 밤이 고히고히 깁허가온데
머리에 눈을 이고 그대가 오실 듯 하야
窓문을 닷기가 안타가워서
문택에 이마를 대고 한숨을 쉬나이다。

(이 한 篇의 詩를 滿洲曠野에서 광이를 잡겟다고 約束하시든 그대에게 드리나이다.)

『만선일보』, 1940.1.11.

한도명(韓島鳴) 편

時計

空間의 番兵
人間을 죽엄으로 건네는 『時』의 計算者
고요한 밤에도 너의 발자국 소리는
끈임업는 歷史의 階段을 똑똑히 밟는다.
醉한 사람에게는 달(甘)게
苦生하는 사람에게는 寂寂하게
平靜한 놈의 마음에는
버레보다고 愛想업시……

空間의 番兵
人間을 죽엄으로 건네는 計算者
그러나 슬퍼하지 말아
너를 맨들어 낸 者일사록
幸福을 저울(秤)에 거는 人間이기로。

『만선일보』, 1940.2.15.

한명천(韓鳴泉) 편

終焉譜

白○닙 떨어지든 간해(去年)
앙상한 姿態 그대로
빗○한 슬픈 소리여

자뿌라질 듯 電柱가 섯다
燈불 그림자가
강판을 물드리다

鋪裝이 업는 길 쓰러미에
바람이 우짓는 밤
沐浴 냄샐 부리고 女人이 지나가다

가는 해에 마음 초조하게
잠근 門을 여는 孤愁여

松竹이도 업다
사랑에도 敗北者다

아서라

아아 이런 季節 이런 거리의 表情은

날근 옛 寫眞처럼 그립구나

『만선일보』, 1940.2.1.

記錄

倉庫보담 陰鬱한 한숨

아득한 記憶이 기웃거리다

멧년 애쓴 것이 요 모양의 表情인가

古風的인 스토-부가 소릴 질은다

불은 뜨겁게 달어라

허잘거업는 하로 하로

바람이 운다

故鄕소리다

早急하게 뒷 窓을 여러보는 버릇!

『만선일보』, 1940.2.22.

한수옥(韓洙玉) 편

슬픈 構圖

-어린 郁이에게-

잔기침에 지치어
어린 病人이 고달피 잠이 들엇슬 무렵
病室은 깊은 海底인 양 沈黙에 무겁고
어머니의 마음은 해파리보담도 더 安穩할 수 업다

할머니가 금새 보고 십고 故鄕이 다시 그립다던
어린 哀怨이 서리인 저 파아란 입술!
머리 들고서
이윽고 바라본 아무 것도 업는
유리창을 내다봄이란 어이 이터록 스러운 일이뇨.

저 밋바닥에 生活이 잇고
生活 속에 내가 잇거니—
압일을 생각함에 흐려지는 마음 마음
이루 헤아릴 수 업는 슬픔 가운데
무슨 悲劇이라도 터지야 할 것인가를

오오 이 밤이여!

『만선일보』, 1939.12.28.

孤獨

나는 孤獨과 나라니 걸어간다
회파람 호이 호이 불며
郊外로 풀밧길의 이슬을 친다

문득 넷일이 生覺키움은—
그 時節이 조앗섯슴이라
뒷산 솔밧 속에 늙은 무덤 하나
밤마다 우리를 맛어 주엇지 안엇더냐!

그때 우리는 單 한번도
무덤 속에 무엇이 무처는 가를 알라고 해본 적도 늣겨본 적도 업섯다
떡갈나무 숩에서 부헝이가 울어도 겁나지 안엇다

그 무렵 나는 人生의 第一課를 질겁고 幸福한 것으로 배웟섯다
나는 孤獨과 나라니 걸어간다
하늘 놉히 短杖 홰홰 내두르며
郊外 풀밧길의 이슬을 찬다

그날 밤
星座도 곱거니와 개고리소리 유난유난 하엿다
우리는 아모런 警戒도 必要업시 金모래 구르는 淸流水에 몸을 담것다
별안간 雷聲霹靂이 울부짓고 번개불이 어둠을 채지햇다
다음 瞬間 나는 내가 몸에 피를 흘리며 發惡햇던 것을 깨달엇고
내 周圍에서 모든 것이서 떠나려 갓슴을 알앗다

그때 나는 人生의 第二課를 슬픔과 孤寂과 哀愁를 배웟나니
나는 孤獨과 나라니 걸어간다
旗ㅅ폭이냥 옷자락 펄펄 날리며
郊外 풀밧길의 이슬을 찬다

絡絲娘의 잣는 실 가늘게 가늘게 풀린다

무엇이 나를 寂寞의 바다 한 가온대로 떠박지른다
나는 속절업시 부서진 배(船)쪼각인가?

나는 대고 밀린다
寂寞의 바다 그 끄트로
나는 바다ㅅ가 沙場으로 밀여 밀여 나가는 조개 껍질인가?
오! 하늘가에 홀로 팔장 끼고 우—뚝 선 저—거므리는 그림자여……

『만선일보』, 1940.7.14.

雪衣

雪衣는
邪念업는 꼿입피런가?
오직 神仙이 사는 東方에서는 피고
그 젊은 女人은 달을 부끄럴 만큼 玲瓏한
眞珠알을 품은 이 바다가 가장 애끼여 마지 안는 貝類로다
眞紅錦帛 발 가득 펴 울장에 너는 한 女人이 잇도다
그는 元來 우리와 種族이 다르냐?
그의 마음은 언제나 손에 든 비단빗처럼
활활 타며 잇지만
그의 넉슨 놉지도 變치도 안는 雪色의
鑛物質이러라

짐짓 그의 등 뒤에 심지를 불끈 도두고
華美한 女心을 山 넘으로 훔처보는 太陽의
戀情을 나는 同情해도 좃타。

『만선일보』, 1940.7.24.

高麗墓子(꺼우리무—스)

옛님이 지나신 발자취 그 누가 알야 속 비인 古木 너는 아느냐
때때 너를 차저와
쉬여가고 울다가는 저 廓公이나 아는가?
(꺼우리무—스[43] 꺼우리무—스 네 이름만이 남엇다)

비바람 모질고
흘러간 歲月의 물결 거칠어 잇슴을 알네라
骨蜀骨婁들이 코 골든
띄집(墓)마저 살아젓스니
무엇이 이 뒤의 빈터를 마트리?
(꺼우리무—스 꺼우리무—스 네 이름만이 남엇다)

分明 님 이곳에서
저물도록 씨 너흐시다
그러다 이곳 변죽을 億萬年 두고 직히리
자랑스러운 歷史의 旗幟 꼽어두고

43 "꺼우리무—스"는 중국어 "高麗墓子"를 한국어 발음대로 표기한 것이다.

스스로 띄집 속에 몸을 숨기신 지 그 몃 해?
(꺼우리무—스 꺼우리무—스 네 이름만이 남엇다)

『만선일보』, 1940.8.7.

아까시야

서리에 傷해 떨어진 제 입사귀로 발치를 뭇
고 쉴 새 업시 찬바람을 吐해 내는 蒼空과 마주
처 죽은 듯이 우뚝 선 아까시야
아무런 假飾도 虛勢도 꾸미지 안은 검은 몸이로다
그러나 몸에 굿거니 武裝하기를 게을리 아니하고
가슴패기 노란 누룸치기 몃 마리 날러와 가지에
머므르고 少女 갓흔 맵시로 哀憐한 목소리 내여
찍—찍— 울지만 그는 오직 바위갓치 鈍感하다

既往 萬年을 足히 살어왓고
將次 億年을!
將次 億年을 더 살리라는 듯
둔덕 위의 錚錚한 아까시야 한 그루 時空을 해집고
그 한복판에 서서 生과 死를 오늘도 어제도 諦念하다。

『만선일보』, 1940.11.21.

한일봉 편

懺悔

벗에게 背信한 탓으로
이 몸은 홀로 밤 새워 우나이다
한 마디 꾸지람조차 업는
장한 벗이엿기에
도리어 抗拒할 길조차 업서젓오이다
벗이여!
하눌 아래 떳떳이
"나 無罪하다" 할 者 그 뉘오리까?
다만 너그러이 罪에 對해 줄 수 잇는 사람
빗나는 人情 아페
벗이여! 업대여 다만 울고만 십소이다

『만선일보』, 1940.6.20.

한죽송(韓竹松) 편

別後頌

酒泉벌 十里 길
점으도록 오르 나렷소
올 이도 업는 길 기다려 보는 마음
애 끈킨 서름 날가도록 더 할 것을……

몃 번 깨문 입술이
끗끗내 소매 적시는구료
번연히 이럴 줄 알면서
보낸 그 맘이 원수 갓구려

蒼空에 깃을 펴는 제비이 부럽다.
꿈가튼 追憶 자국만 애달퍼
벙어리 냉가슴 알틋
저린 窮想에 피 매친 하소 어이리

이 버릇 누가 갈첫소?
濁酒에 흐느끼며 옛날을 읇는 짓을……

『만선일보』, 1939.12.22.

病窓吟 (遺稿)

白蛇의 눈물가티 機智에 지지
昏窓에 읍조리는 寂滅의 愁雨
渴慕에 시달리는 처녀의 심장인가?
붉게 타옵다 쓸어진 楓葉의 그림자여!
너는 雪風의 傳令使—
希望에 차서 兩邦 보금자리를 그르노니
鄕愁의 깃을 펏서도 오히려 疲困함이 업서
넌즛이 세룩세룩 四韻을 외는구나
一百九十날 苦惱의 辛汁을 말엇서도
못 이즘잇서 오늘도 病房의 구슬픈 捕虜。

乙支文德은 아니라도 패기에 넘처섯고
那破崙의 野心보다 오죽 꿈은 컷건만
좀 먹는 生命을 잡고 눈에 쌍심지 오른 오늘
病心에 서린 世紀末의 悲歌만 애처롭다。

주름 잡히지 안은 靑春도 아깝지 안소
名약을 비웃는 咀文도 아니요

『내가 죽거든 이 病體를
醫學硏究所에 寄贈해 주시요。
살아서 恨일진대 차라리
人間名簿除籍에서
가장 有效한 祭物이 되고 싶구려』

밤은 妖術師! 아가야 불을 꺼라。
虛謚와 煩影만 形體를 그리거니
이 밤도 夢幻의 珊瑚林에서
追憶의 眞珠알을 따보려 한다。
乙卯 十月 於朱乙病所

『만선일보』, 1940.1.11.

한해룡(韓海龍) 편

苦悶

가슴이 타다 못해 쪼각나 금이 낫소
한숨을 내뿜으면 불꽃이 뒤처나오
이 불길 끄랴고 마신 술 불길 더욱 노피오

미치듯 허전하고 머리가 터지랴오
왼종일 거리 우를 사다녀도 시언찬소
목 노아 울어 불러도 눈물조차 안 나오

냇가의 풀을 뜯어 물 우에 팽개치고
이 아픔 실고 가라 소리처 웨치오만
말업는 그 풀만 혼자서 어청어청 흐르오
六、六、六 씀 이 글을 H에게

『만선일보』, 1940.5.8.

龍井行

1

고개길 四十여 리 오르고 나리올 제
언덕 밋 올망졸망 초가집 다정쿠나
송아지 혼자 노니네 내 고향이 그립다

2

帽兒山 노픈 봉에 단풍이 지럿구나
누르고 붉은 양이 꼿인 듯 어여뻐롤
그 미틀 지내는 손이 넉업시 섯구나

3

두 양주 오손도손 벼 베기 자미롭다
아이놈 채통든 채 산자리 따르노라
이 아니 밋어울소냐 복 되소라 비노라

4

드노픈 하늘 미테 海蘭江 가로 노여
꿈인 듯 옛을 안고 소리 업시 흐르난다
저갈이 품고 예는 일 뉘라 알 길 잇스랴

5

龍井은 옛 사람이 용드레라 불럿다데

이 땅에 우리 겨레 얼마나 울엇든고
오늘엔 남기신 자최 너무 역역하외라

一○、六 龍井 가든 길에

『만선일보』, 1941.2.14.

함형수(咸亨洙) 편

正午의 모—랄

모—랄은 웃는다 모—든 눈물 뒤에서
모—랄은 운다 모—든 웃음 뒤에서
모—랄은 怒한다 맷돌방아깐에서도
모—랄은 눕는다 曲馬團 로—프에도
모—랄은 노래부르는 둑거비냐
모—랄은 노래하지 안는 꾀꼬리냐
혹은
모—랄은 계란 속의 都市計劃
—계란을 삼킨 D孃의 주동아리
눈을 뜨면 나의 책상 우
그라쓰컵 속에서 시름꽂이 운다
그라쓰컵 우에서 구름이 돈다
聖母마리아의 悲哀 속에서도
센트헤레나의 鬱憤 속에서도
갈리레오의 디구에서도
뉴—톤의 능금에서도
그리스도의 수염에서도

李太白의 風內 가운데서도
또는
K博士의 곰팡이 낀 노―트속에서도
아―나의 깨여진 머릿속에서도
―손톱눈에서도
찌그러진 나의 아버지의 갓에서도
내음새 나는 나의 어머니의 고무신짝에서도
얼눅진 N孃의 한가치에서도
또는
바람에 날려간 D老人의 帽子 속에서도
눈을 감으면
한업시 한업시 물러서는 焦點과
무한히 버러지는 視野와
수업시 수업시 交錯되는 에―테르와

오! 어디에서도
무수히 무수히
지절거리고
不平하고
싸히고
밀려드는
모―랄 모―랄……

『만선일보』, 1940.6.30.

허리복(許利福) 편

나의 국화

별이찌 수업시 날아드는 밤은
글방문 제치고 국화술 마인다
—너 족보 노파 거룩하뇨
—너 등이 매워 향기로우뇨

싸락싸락 첫눈이 내리시면
발 벗고 한 송이씩 뜨더 모힌다
—널 이름이 빗나 이까르노
—널 절개 구더 국화라 부르노

풍설 날리는 겨울 한밤은
국화솜 베개 노프게 베고
—그윽한 향기 속에 길에 누어
—수천 년 묵은 이야기 더듬는다

『만선일보』, 1941.11.13.

나의 노래

새벽 먹은 나의 노래다
묘지마다 양귀비꽃 피워
불빗 원한 바래우고
여우 배암인 벌 세우자

양지로 양지로
노루 사슴 토끼 산양 모하
어진 얘기만 역그려다
측넌추리양 벗고
이깔나문양 놉흐려다
슬프면 통곡도 하리라

뫼도얏 이리 곰 호랑일랑 길러
날내고 사나울수록 엇다 잇다
항상 먼 조상과 더부러 더부러

나의 노래의 족보는
청기왓장에 그린 활촉

난 호적 버린 꾀꼬리가 실타

귀밀떡 차리고 목기 뚜다려
지신제 축문을 전등이란다

나의 노래 날 딸어
비수 품어 미더운 아츰이다。

『만선일보』, 1942.12.15.

허민(許民) 편

孤情

장마비 거듬한 어스름에
뷘 마루에 두 무릅을 고우고 안자

가꾸지 아니한 뜰 鳳仙花는 이슬을 달고
안개 사이로 걸린 무지개와 더부러 幸福을 지녓건만

純하고 弱한 良心을 버리지 못한 채
버레먹는 가슴을 어루만진 지 벌서 몃 해 이르냐

山峽에 여름이—지터도 늘 내 맘은 음산하야
북새 이는 하늘을 날러갈 새에게 노래도 못 傳햇노라

嶺 위거나 산모퉁 길에 幸여 어느 消息을 그려
어머니가 차저 주신 축축한 新聞을 뒤적거리며

문득 限업시 울고 십기도 하고!
다시 껄껄껄 웃고 십기도 하고……

『만선일보』, 1941.12.17.

홍순복(洪順福) 편

풀 하나 또 소사나오

부드러운 女人의 마음인 양
풀 하나 솟아나오
붉은 情熱에 죽엇든 풀들이
봄바람에
나도 모르게 발 아래 솟아나오
마음 업시 바라보노라니
純眞하게 자라가든
내 동생 얼골이 記憶나오
또--
풀 하나 소리 업시 솟아나오
(一九四〇.四月)

『만선일보』, 1940.5.14.

홍순영(洪淳瑛) 편

초불

옛날을 그려
초에 불꼿은 핀다。

그대는 弱한 삶에 줄을 잡고
끗모를 孤獨의 치마를 것는
애처로운 마음。

또한 그러다 살어진 情熱을
맛길 곳 업서
心臟 속에 숨기고
이 밤에 슬퍼 떠는 寂寂한 모습

그대는 이제
내 마음 한가운데 차저 온
不死鳥。

또한

나의 조그만 庭園에 新婦이니
어오 내 사랑 초ㅅ불아
나도 그대와 가치 이 밤을 새리。

『만선일보』, 1940.8.6.

귀뚜라미

기나긴 밤 숨어서 우는 귀뚜라미
별이 반짝이면 더 기피기피
숨어 슬픈 모양 안 뵈이려 하나니

너는 어느 먼 傳統의 遺風이기에
가을나라에 籍을 두엇스며
언제
꿋향기 피는 花園과
北斗星座의 燦爛함을 잇고 사나

凋落의 情緖에 슬픔이 깃든다느니
여윈 입술로 그 時節이나 불러라

무지개 가튼 情熱을 간직하엿스련만
언제나 언제나
꼭 가튼 노래만 부르는 귀뜨라미
고요한 밤
홀로

외로이 슬픈 하로밤을 딸엇다。

『만선일보』, 1941.11.9.

코쓰모스

고흔 素服을 입은 코쓰모스는
시절이 남기고 간 佳人이어니

해맑은 가을 하늘 아래
맑은 모습 유달리 아름다워라

오늘은 저 코쓰모스 더부러
아름다운 이야기 듯고 시퍼라

코쓰모스는
맑은 마음을 가젓나니……

『만선일보』, 1941.11.19.

홍영의(洪永義) 편

逆旅
—異域에 계신 님에게

비둘기 알 품은 봄이라거니
共同墓地 잔듸밭에도
할미꼿 고개를 숙이엇더라。
모래 들녁에 白骨이 둥글—때도
꼿가지를 흔드느 나그네 되여!
개암이떼 입을 모아 흙을 날느는 날
벅국이 울고 간 솔나무 밋헤 안저
가만히 이마에 손을 언지다
江河 구비처 흘늘 적에도
거스러 올으는 나그네 되여!

『만선일보』, 1940.4.24.

밤

밤은 가만히 큰 숨을 쉰다
모—든 生이 잠이 들다
사랑이 잠간 멈춘 순간만에……
독갑이들이 꽃수레를 굴리는
땅은 妖術을 부린다고
별들만이 속삭일 때—
버들가지에 걸린 쪼각달만은
빙그레 웃는다……
검은 思索을 휘감은 안개가
손가락창에 설이설이
개고리 개굴개굴 呾文을 외우다。
모난 돌을 밟는 고기떼들이 꼬리를 치는
남쪽 海峽에는
달을 안고 조으는 燈台가 하나
민물 나간 뒤에 海女의 여윈 모습!
통통한 乳房을 쓰다듬으려니……
밤은 또 하나 생각에 잠기다
鍍金한 眞理를 어루만지며……

밤은 生命의 主宰者이다
眞理와 藝術을 사랑하는
空想家이기도 하다。

『만선일보』, 1940.5.1.

春夢

壁에 그러잇는 호랑이를 타고
바다도 하날도 안인데—
구름도 바람도 안인데—
휘파람 불며 불며
해도 업고 달도 업는 나라
“왜? 인제 오서요?
어서 빨리 오서요!
까맛케 기다럿서요!
두 팔을 벌리고 힘끗 안어 주서요!”
뺨에 스칠 때 입까지도 밧치럿드니
팔은 이불을 안은 채 멀—니
닭소래 납니다。

-살구꽃 피는 날 아침에

『만선일보』, 1940.5.6.

황민(黃民) 편

禁域의 手帖 (上)

흙이 어두운 들창 밋으로 물처럼 차거운 꼿향기는 좀처럼 날러가지 안는 푸른 經洛 푸른 經洛에 흔들리는 라말틔—누의 달밤이 오면 머리가 몹시 식어저서 문참에 손을 대일 수 업는 訣別은 山 고개를 宗敎的으로 넘어갓다는 한 점 孤獨한 意識이엇다。

疲困한 솔닙이 누어 잇는 살결이 희지 못한 나의 土壁 土壁이 밝어오는 것은 東印度의 바닷물결이 흔들리는 까닭이라는 體念은 結局 世界文學全集 나무 그림자에 가랑닙이 숨어버리는 따스한 햇살이 노오라케 등덜미를 쪼이는 十九世紀엿다。

나에게 海岸을 條約하는 섬을 달라。구을러 가지 안흔 돌을 엽헤 두고 한 가지 풀닙이 잇어도 조타。풀닙은 바람이 불면 흔들리는 情緖를 가저도 조타。亦是 太陽을 조금 주는 것이 조타。빗나는 噴水처럼 나의 눈물은 얼마간 色彩를 要求한다。우름이 끗나면 걱구로 서서 땅을 向하야 빌터이다。

내가 잇는 두 발 밋헤 어두운 建坪을 주게 한 主여—헛바닥처럼 끌고 다니는 나의 그늘이 主의 피를 汲水한다는 것은 얼마나 어두운 成長을 地圖한 土耳其의 領土엿나이까。歷史는 習性의 저즌 비늘이 걸리도록 겨드랑이가 간즈러운 날개 날개가 간쥬러운 겨드랑이에 선선한 바람이 불지 안토록 튼튼한 壁을 마련하여 달라는 希望에 粘하는 나븨는 記憶의 有機를 움직이여 華

麗한 午後의 傾斜를 흐르는 色彩이엇다.

무릇 敗北와 不幸은 아름다운 빗갈이엇다. 허리 아래 굼주린 벗의 눈瞳子는 얼마나 아름다운 빗갈을 主知的으로 여윈 살갈이드냐.

쌔하얏게 太陽을 吸收치 안어 언제나 健康하지 못하다는 멋그러운 診斷書의 차거운 血脈을 사랑하는 惡寒은 빨안 깃폭을 準備하지 안을 수 업다. 遮斷! 遮斷!

세네곱 꺽거지는 리듬이칼한 振動의 快味를 맛보며 내려지는 깃폭으로 얼골을 가리면 저저오는 意識의 鮮明은 요란한 쇳소리를 皮下에 늣긴다.

나의 벗의 귀는 午前이엇다. 아득한 妙針의 方向을 나의 鐘소래는 도라오지 안는다. 나의 無名指에 太陽이 솟는다. 无數한 풀입이 뽑아지는 벗들은 亦是 꿈에 본 戀人처럼 말이 업섯다. 나는 나의 太陽에 머리칼을 날리우며 간다.

純粹한 動態는 純粹한 靜態엿섯다는 로직크의 平行線이 걸린다. 한 개의 帆船이 걸린다. 帽子를 이저버린 콜럼비스의 太陽.

禁域의 手帖 (中)

무릅 우에 노히는 冊은 나븨의 體溫을 가젓다。一瞬의 그의 바다를 알엇든 것이다。입싸귀 내음새는 물이 되여가는 草原 草原極地를 옥약목처럼 어지는 나븨나븨 나래가 안는 하늘 하늘을 짓밟고 列車가 羅列된다。

旅程!

요란한 波濤소리에 지워지는 압길을 허치고 드러가 보는 수업는 가랑닙! 바람이 불면 枯木처럼 남어지는 팔다리엇다。

바람은 透明할수록 겨울은 그러케 널려잇지 안헛다。

人生論처럼 드러눕고 십게 매어달린 팔다리。

午前三時처럼 드리어잇는 팔다리。

皮膚ㅅ 속에는 달이 켜저 잇엇다。

나는 스윗치를 눌러야 하느냐。

스윗치를 눌러야 한다。

空氣가 지워진 캄캄한 어둠 속에서 일어나는 살결 아픈 갈채의 甘味를 确實히 자랑으로 滿足해야 할 것이엇다。

滿足이란 얼마나 는적는적한 意識이냐。

그여코 나의 日記는 內出血을……쌔하얀 戀人의 얼골에 붉은 피를 塗抹하는 것은 선선한 罪惡이엇다。

그대의 흰손이 새벽처럼 건너오면 그러나 그대의 손을 힘잇이 잡지 못하는 그것은 말목을 쏘아오는 햇빗치 시끄러운 까닭이엿다는 窓 아래 그늘 아래 꼿닙 아래 한 개 이슬에 비치인 眞理를 首肯하는 얼골。

오래인 歷史의 머릿내음새를 이저버릴 수 업는 그대의 森林에 나는 안겨 잇을 것이엇다.

푸러저 올라가는 나무 그늘은 한 개 고은 꼿송이를 意慾하지 안허도 조타。

깁지 못한 하늘은 안즐 곳이 업서도 조타 나븨 업는 太陽으로 하야 구석구석이 발 업는 어두움이 고히여 寂寂함이 버석어리는 下半身은 소리 업시 저저버리는 것이 조타

無名指를 꺽그면 華麗한 年輪은 도라가지 안엇다。

서접은 出月이 머리카락처럼 자라는 그늘 속에서 세암은 마음끗 衰弱하여 섯슬 것이다。

무릇 健康과 胜利는 罪惡의 本愿이엇다。

나를 멀리한 者 그대 그대의 손목을 비고 누우면 밝은 沙原은 하늘을 吸收하엿다

腦髓에 푸른 鐵筆을 꼰즈면 나는 캄캄하게 꺼진다 帆船이 꺼진다

그대 손목이 건너간 새벽이 꺼진다.

香氣는 어두운 곳에만 잇섯다

풀입히 돗지 안는 腦髓는 집웅처럼 우울할 수 업섯다

몸에 차거운 쌔하얀 눈동자 눈동자 눈동자를 수접게 避하는 길바닥은 나븨 가튼 억개를 선선하게 돌지 못한다

언제나 보는 山河는 나의 山河가 안이엇다는 것을 도모지 認證할 수 업시 풀입을 다시 쥐여본다

풀입은 차거우면 차거울수록 물처럼 똑똑한 그대의 말소리를 들을 수 잇섯다 나는 그러나 그러나 나의 오즉 하나의 表情이 바람에 무더난다

무더나는 表情은 보지 안엇다

소리 안 나는 平原에 요란하게 비치어지는 그림자는 요란하면 요란할수록 明瞭하여지는 그림자는 日曜日처럼 否定된다。

禁域의 手帖 (下)

마조 엇서는 拒絶은 나비다 키가 크다

나는 히드러저 우스며 算術을 한다 끗업는 逃避를 줄다름치는 차거운 鐵路에 轢殺하는 香氣로 하여 머리도 압흐고 피도 마르고 純粹한 우슴으로 疲勞한다는 꿈은 나의 구녁이엇다

선선한 바람이 드러오는 바다 내음새를 사랑할 수 잇엇다 고기는 바다의 表情으로 비눌은 一齊히 海岸으로 몰린다

손바닥으로 바다를 두드리는 소리는 좀처럼 문허지지 안는 섬이엇다

꼿츨 꺽거쥐는 感情을 短刀처럼 갓는다는 것은 조금 아름다운 봄이엇다

그러나 未來는 넓어오는 어둠이엇다 어둠을 고기는 비눌 아래 척척히 意識할 수 잇는 고기 말 한 마디 못하는 엇쩔 수 업는 바다 속에 잇섯다

고기는 햇빗이 몹시 지워진 孤島의 그늘 아래 숨어 罪도 안인 善도 안인 말업시 억개를 스치며 지나가고 십다 나에겐 그늘이 업는 體重을 달라 皮下에 가러안는 간즈러운 體重으로 하야 그대에게 나는 이럿케 실업는 微笑를 더 저 흔들리는 물결이 온다

하야 빗날은 조갯껍질을 따뜻하게 하는 未練

사랑이란 偉大한 罪惡이라는 물거품이 터지는 午後의 靜寂을 톨스토이翁의 수염은 가을이 빗나는 바이시클처럼 新鮮한 銀鐘소리를 거러노흔 거울 속으로 罪 안인 善도 안인 발 업시 일어나는 나의 얼골을 깨어버린다

憎惡는 혓바닥으로 사랑하는 것이엇다 머릿카락 요란하게 꺽어지는 어두운 밤은 먼 距離를 갓는다는 位置에서 혓바닥으로 나를 부른다

나에게 매어달린 生命의 무게는 흔들면 떨러질 것을 微笑하며 四肢를 太陽처럼 벌려도 가슴은 좀처럼 소리가 일어나지 안는다

몹시 선선치 못한 落葉을 思鄕하는 것이엇다. 이저버렷든 길바닥을 吸收할 수 업는 木皮, 木皮는 내 말이 들릴 수 업다 꾸겨진 하늘이……

廻轉하는 平原에 屹立한 풀입 바람이 지나가도 올 수 업는 풀입이엇다。

橫笛을 불면 수업시 노픈 달밤이 지나가고 수업시 만흔 기럭이 우름이 어지고 하야 平原의 풀입새는 茂盛하엿다。

茂盛한 풀입은 서로 잡당기는 平原이엇서도 나는 놉다랏게 孤獨한 다리(脚) 우에 잇서다。

그 몃 본 險惡한 달밤이 물들은 나의 肉身을 먹으면 아직도 익지 안흔 과일 내음새를 좀처럼 사랑할 수 업는 너무나 눈동자는 나를 알리 업섯다。

나에게는 空氣가 모자라는 것이 이럿케 遺感이다. 空氣가 稀薄할수록 어두어지고 어두어질수록 혓바닥이 켜지면 소리 업시 愁心 저잇는 나의 文字는 좀처럼 고개를 들지 안코 억개가 내려 안즌 보두 물(水) 업는 衣裳이엇다。

내가 가면 꼿바튼 도라 안는다。힘업시 도라오면 健康한 문턱。

눈을 감은 落花의 時節이엇다。관목이 기다랏케 나를 떠나는 限업시 끈허진 堤坊이엇다。

一九四○ 於城津

『만선일보』, 1940.9.3일, 4일, 5일.

『만주조선문예선』[44](滿洲朝鮮文藝選) 편

44 『만주조선문예선』은 1941년(康德 8年) 11월 5일 신경특별시 장춘대가(新京特別市 长春大街) 지금의 중국 장춘시에서 간행된 합동수필집이다. 편자는 신영철(申瑩澈)이며 발행자는 노승균(盧承均)이다. 이 수필집은 등사원지에 필경(筆耕)한 것인데 수록된 작품 수는 41편이며 작가는 29명이다. 고시조가 14수, 시는 2수이고 나머지 25편은 모두 수필이다. 이 총서에서는 장기선의 「구름」(『만주시인집』에 재수록되었음)을 제외한 김복락의 시와 최남선의 기행수필에 삽입된 시를 수록했다.

김복락(金福洛) 편

大海[45]

물결은 千里
바다는 萬里

가도가도 끗업는 하늘 밋
어머니 저-기저기엔 무엇이 사나요?

검은 바위 옹기종기
힌 갈매기떼 아믈아믈 사라지는데

바다는 萬里
물결은 千里

가도가도 끗업는 뱃길
어머니 저-기저기엔 무엇이 잇나요?

---

45 이 작품은 『만선일보』(1940.2.4.)에 발표했던 작품이다.

구름이 흐터진 기슭
돗배 가는 듯 마는 듯 아득히 뵈는데

최남선(崔南善) 편

長白山 一枝脈에[46]

長白山 一枝脈에
千朵芙蓉 피여나서
窈窕한 저 그림자
遼海 기피 잠은 것을
아는 이 몃치시던고
나만 본 듯 하여라。

天門의 最高峰에
시름업시 안젓거늘
松籟가 奏樂하고
梨花白雪 흣날리고
下界서 나를 보는 이
神仙이라 안흐리

46 이 시는 최남선의 기행수필 「千山遊記」(其二)에 삽입된 시로서 제목은 편자가 달았다.

『빠보진[47]』 무서우냐

『이보동텐[48]』 조흘시고

『쿠냥』이 압섯거늘

『도타이래』 뒤따라서

『만만듸』 『이퀄취』[49]하고

이염이염 올라라。

---

47 “빠보진”은 중국 지명 “八宝镇”의 한국어 발음이다. 지금의 요녕성에 있다.

48 “이보동텐”은 중국어 “一步登天”의 한국어 발음대로 표기한 것이다.

49 “만만듸”는 중국어 “慢慢的” 의 한국어 발음이며 “천천히”라는 뜻이고 “이퀄취” 역시 중국어 “一块儿去”의 한국어 발음대로 표기한 것으로 “같이 가자”는 뜻이다.

『만주시인집』[50](滿洲詩人集) 편

50 『만주시인집』은 1942년 9월(康德 9年), 중국 길림제일협화구락부 문화부에서 간행했으며 모두 11명 시인의 작품 37수가 수록되어 있다. 서문은 박팔양이 썼다.

유치환(柳致環) 편

편지

갈미峰 구름 하나 안 가고 잇고
마을은 해볏테 안자 잇섯다

마을가엔 복사꽃 개나리
꿈길인 양 이야긴 양 감기어

개울은 돌돌돌
미나리江으로 흘러들엇다

울 밋테도 밈둘레
논가에도 밈둘레

한나절 가도 드날이 업서
마을엔 그 뉘나 사는지 마는지

개도 안 짓고
닭도 안 울고

깜앗튼 消息
이 봄 들어 두 장이나 편지 왓단다

歸故

검정 사포를 쓰고 똑딱船을 내리니
우리 故鄕의 선창가는 길보다도 사람이 만헛소
양지바른 뒷산 푸른 松柏을 세고
南쪽으로 트인 하늘은 旗빨처럼 多情하고
낫설은 신작노 엽대기를 들어가니
내가 크던 돌다리와 집들이
소리 높이 창가하고 돌아가던
저녁놀이 사라진 채 남아잇고
그 길을 차저 가면
우리집은 유약국
行而不言 하시는 아버지께선 어느듯
돗보기를 쓰시곤 나의 절을 바드시고
헌 冊曆처럼 愛情에 날그신 어머님 겻테서
나는 끼고 온 新刊을 그림책인 양 보앗소

哈爾濱道裡公園[51]

여기는 하르빈 道裡公園
五月도 섯달갓치 흐리고 슬푼 季候
사람의 솜씨로 꾸며진 꼿밧 하나 업시
크나큰 느릅나무만 하늘도 어두이 들어서서
머리 우에 가마귀떼 終日을 바람에 우짖는
슬라브의 魂 갓튼 鬱暗한 樹陰에는
懶怠한 사람들이 검은 想念을 망토갓치 입고
或은 벤취에 눕고 或은 나무에 기대어 섯도다
하늘도 曠野갓치 외로운 이 北쪽 거리를
짐승갓치 孤獨하여 호올노 걸어도
내 오히려 人生을 倫理치 못하고
마음은 望鄕의 辱된 생각에 지치엇노니
아아 衣食하여 그대들은 어떠케 스스로 足하느뇨
蹌踉히 公園의 鐵門을 나서면
人車의 흘러가는 거리의 먼 陰天 넘어
할 수 업시 나누은 曠野는 荒漠히 나의 感情을 부르는데
남루한 사람 잇서 내게 吝嗇한 小錢을 欲求하는도다

---

51 이 시는 유치환 시집 『생명의 서』(행문사, 1947.6)에 재수록되었다.

윤해영(尹海榮) 편

海蘭江

寂寞한 江이로다。

거룩한 江이로다。

고원일흔 자식들 젓줄을 빨기니

海蘭江 百里 언덕에 주름ㅅ살은 잡혓느니

傳說의 물ㅅ줄기 더드머 오르면

鈴蘭이 핀 언덕에 어진 사슴이

호사로운 두 뿔를 빗처보든 時節엔

亭亭한 落葉松의 아지 가지가

銀河의 별빗조ㅅ차 가렷다건만

이주민의 斧鉞에 歷史가 빗날 때!

쓸어지는 丸木의 도막도막을

가삼에 안고서 흘넛는니。

銀河長長 天心에 별이 송송

流域에는 아리아리 人煙이 송송!

강낭ㅅ대 마디마디에 希望을 매즌

어진 族屬들이 벌떼처럼 茂盛해서

입히 필 때면、

기럭기가 울 때면、

懷鄕病 절믄이들의

로맨스도 실어갓다。

근심 만흔 사나히들의

큰 뜻도 실어갓다。

한世紀 數多한 이 地域의 歷史를

늘근 海蘭江 白沙場에 차즈리

昭和 十三年 五月 於龍井

오랑캐고개

물ㅅ개와 坐首의 딸과 함께 살아서
사람과 갓튼 물개를 낫코
물ㅅ개와 갓튼 사람이
사람과 갓튼 사람을 나서
그 어른이
큰아큰 中原을 통트러 다스렷다는
아리숭 아리숭한 이야기가 잇다。
二十年前!
아버지 등 뒤에 봇다리 뒤에
박아지 두 짝은 방울이 커서
나는 제법 나귀등의 貴公子인 양
고개ㅅ길 三十里에 幸福은 철업더니
그때 그 고개는
豆滿江 건너 北間島 이도군들의
아담찬 한숨의 關門이엇다。
十年前!
떡 버러진 두억개에
소곰 서말이야 무거웟스랴만

會寧八十里 黃昏에 떠나면
嶺마루 풀숩헤 식은땀 씨슬 땐
北斗七星도 기우러 저서
머―ㄴ 마을에 개만 지저도
캄캄한 空間에 어른거리는
부유덱이의 幻影!
그때 이 고개는
밀수군 절믄이들의
恐怖의 關門이든이―
오날 이 고개엔
五色旗 날부ㅅ기고
목도군 절믄이들의
노래ㅅ소리가 우렁차서
豆滿江 나루ㅅ터엔 다리가 걸니고
南쪽으로 連한 길은 널버저……
이 봄도 나의 族屬들이
무태이 무태이 이 고개를 넘으리
한숨도 恐怖도 다 흘너간 뒤
다―만 希望의 깁분 노래 불으며 불으며
무태이 무태이 이 고개를 넘으리。

昭和 十三年 四月 於龍井

四季

1. 봄

그 옛날 오막사리가 사랏다는
傳說이 서린 각담에
냉이와 달내는
보람 업시 파르릿고!
한 그루 활작 핀
살구나무 가지에는
그래도 벌들의 살임은
옛갓치 오붓하여

2. 여름

구진비 뿌리는 黃昏이면
영산가닥 입입에
洛水가 지름지름!
새끼 기르는 모차래기 둥지엔
집웅이 업서서 실단다。

3. 가을

알뜰이 길너논 코쓰모쓰
꼿치 펏건만

여름은 벌서
늘거서 갓네
쌀쌀한 바람이
몸맵시를 흔들고
파—란 하날이
너무도 매몰차
코쓰모쓰는 季節의
繼母ㅅ子息이란다。

4. 겨울

외ㅅ딴집 저녁 굴뚝에
煙氣가 숫지다。
아마 靑솔가지를 때는 게지?
바람도 새들도
모다 잠들어
삽사리 컹컹
寂寞을 불으다。
조각달 눈빗 우에 조으는 밤
감자 입김 쉬는 火爐가엔
金僉知 보는 趙雄傳
혼자서 흥겨우리。

渤海古址

五月의 夕陽
渤海 옛터에
집팽이와 나와
풀숩에 스다
歷史란 모도다
거짓말 갓태서
六宮의 남은 자ㅅ최
주ㅅ추돌도 늘것는데
第一宮址 드놉흔 곳
應靈寺 鐘이 울어 울어……
기와 片片 어루만저
懷古에 잠기우면
저一언덕 밧가는 農夫
그 時節 百姓인 듯!
멍에민 소장등에
太古가 어리우다。

昭和 十六年 五月 鏡泊湖紀行詩中에서

신상보(申尙寶) 편

흑과 갓치 살갯소

언제나 즐거운 동무
언제나 情드난 동무
흘근 내 뼈요
흘근 내 살이요
흘근 내 피요

내 손에 못이 박히고
내 등이 다 달어도
내 힘이 가는데까지
흘근 나와 갓치 왓고
흘근 나와 갓치 살고
흘근 나와 갓치 죽고
내 발에 미트리를 신고
내 머리에 수건을 쓰고
한쪽 박아지에 목숨만 가지고
흘글 차저 여기 왓소
흘글 파러 여기 왓소

언제나 뜨난 해와 함께

일하기 즐거울 뿐

땅파기 즐거울 뿐

千萬年이 흘너도

흑과 갓치 살갯소

흑과 갓치 죽갯소

沙漠

여기는 亞細亞의 꿈 만흔 나라
明日이 즐겁게 해 뜨는 나라다。

銀狐털 속에 極樂보다 단꿈이 잇고
乳房보다 보드라운 모래언덕 넘어서
밤이면 별 하나식 시집오는 沙漠이다。

駱駝 등에 生活을 실고
걸어서 千年 안저서 千年을 살어도
언제나 꿈속에 明日을 보는 즐거움이 잇다。

旅人宿

오늘 해가 저물엇소
갈가마귀 지저귀고
저기 가는 저 손님 짐 내리시고 쉬어가오

억개에 七十年이 못 백히고
봇다리 속에 한숨이 그득한 듯
고랑처럼 패인 주름살에 그 땀을 식혀가오

차거웁기 어름 갓튼 表情
고요하기 象牙 갓튼 表情
무슨 秘密이뇨 말업시 굿게 담은 입

어서 짐을 내리시고 이 밤을 쉬어가오
해 지는 겨울 밤이 무서웁게 차거웁소
가실 곳이 어듸길내 밥으다만 하시나뇨
「가도가도 끗업길내 한업시 가고 푸오」
한업는 길이길내 머ㅡㄹ니 가시는 길이길내
어서 천천히 머물러 나름나름 가시구려

乞人

얼어터진 손목에 넉을 걸고
찬바람 안어 하로가 슬픈 생활
걸어서 걸어서 日輪처럼 돌기만 하는 그대
뉘 子孫이뇨 族譜가 우는 그의 世代는 정영 서글프다

털帽子 등거리 떨어진 長靴
굽은 등에 一生을 봇따리에 의지하고
뉘門前이 고맙드뇨 뉘 門前이 괄세 만트뇨

밤잠이 차거운 꿈속에도
별갓치 아름거리는 追億마저 시드러
자리를 돌아눌 쩨마다 끄―ㅇ소리
땅이 꺼지고 남음이여 무거운 한숨

뜨고 지는 해가 소용이 업다
덥고 차거움이 소용이 업다
걸어서 一生을 四方이 집이로다
뜨믄뜨믄 걸어도 쉬어본 적 업는 人生乞食

송철리(宋鐵利) 편

爐邊吟

火爐

겨우 내 낫과 손박게 못 비취는 微光이지만
내 눈에 太古의 密林을 뵈여주나이다。
겨우 내 조고만 방 속박게 못 줍히는 殘焰이지만
내 귀에 깁흔 活火山의 沸響을 들려주나이다。
노쓰러 주츠러진 火爐ㅅ 속에서
나는 널븐 宇宙를 익나이다。

沈默

나는—
沈默의 여울에서
瞑想의 송사리를 낙는
孤獨의 漁翁이외다.
나를—

世人은 가르처
벙어리! 말 못하는 병신이라고……。
그러나 나는—
어제도 오늘도 孤獨의 漁翁이엿나니
래일도 모레도 孤獨의 漁翁이려나이다。

反芻

石榴알 갓튼 過去의 알알을
나는 잘근잘근 씹어 보나이다。
북고 빗나는 알과 알
씹으면 씹을사록 향그로워
나는 過去의 反芻로 現在를 享樂하나이다。
馬廐에 누어 靑草를 모리는 황소처럼——。

도라지

도라지 피면 八月도 피고
八月이 피면 향수도 피드라

산、
물、
길、
돌쇠、
갓난이、
삽살개、

하염업시 쓰러보는 파―란 꼿송이에
무지개마냥 아롱지는 흘러간 옛 마슬。

그러나―
도라지 지면 八月도 지고
八月이 지면 향수도 지드라。

북쪽 하늘엔 별도나 서글퍼

마음에 차—단 은하(銀河)가 고여
몸에 차—단 은하가 구비처
두 눈만 열면 차—단 은하가 넘처
철철철 소리치며 흐를 듯한 밤이다。

옛날은 부서진 기둥인데
추억은 깨여진 란간(欄干)이어서
피무든 손으로 노아도 노아도
오작(烏鵲)의 다리는 허무러만 지고

꽃버선 계집애야!
너는 베틀을 버리고
제비나라 대궐 속에서
빠알간 새열귀 갓튼 구름만 꾀고 잇느냐

북쪽 하늘엔 별도나 서글퍼——
외로운 꿈이 오돌오돌 떠는 밤이다。

追憶

새하-얀 눈 위로
외사슴 울고 간 자욱마다
언 달빛치 파라케 멍든다는 밤이면
까닥도 업시
나의 추억은 슬픈 부헝새
슬픈 부헝새。

조학래(趙鶴來) 편

驛

마즈막으로 갈라진다 해서 손수건을 흔든다。
너무도 슬퍼서 눈물을 쥐어도 짠다。
어찌하면 다시 만날 뜻 십허서 울지 안코 참기도 한다。

해당꽃치 피는 나라로 간다 해서 그게 당신들께는 좃소。
구진 눈송이 쏘다지는 나라로 간다 해서 그게 자네들게는 실소。
그러나 차는 당나귀처럼 덜넝거리면서 만흔 구비도 잣고 가리다。

에미네를 어느 육실할 여석으게 뺏기고서는
꾸겨지고 너절한 봇따리를 싸들고서 도망하듯이 떠나간다。
능금접이나 사이고 토시짝으로 코ㅅ물을 시츠면서
이 마을 안악네들은 품파리를 떠나간다。
서울 가는 귀한 딸자식이
나루ㅅ가로 팔여가는 색주가 영업자가 모두 떠나간다。
두셋 오리 간장물에 띠워노흔 그놈에 국수가 그럿케도 맛 조앗소。
어느 도야지 살믄 물에 풀어논 장국밥이 그다지도 구수햇소。
두루마기 깃에서 휘파람 소리나게 거러도

아모래도 당신네들 입술에는 당초가루가 붓터습니다。

떠나가는 고동이 운다。
도라오는 시그낼이 떠러진다。

젓먹이를 껴안은 채 헛소문이 떠들든
내 고장을 버리고 절믄 아즈머니가 온다。
키—타를 쥐고 슬퍼서 울 것처럼 상을 찌프리고
어느 서글픈 촌풍각쟁이들이 온다。
어젯밤 링에서 어더마즌 퀀투쟁이들이 시퍼런 빰을 만지면서 도라온다
버리려든 슬픔은 차라리 우서버리면서도 그래도 다시 도라가고 십허서
조마조마하게 모도들 차저온다
아직도 갓쓴 상투쟁이 할아버지
어느 먼—드메에 시집갓든 둘째 딸이 모—두 도라온다。

아까보—、역부、일꾼、바람、눈
시그낼이 운다。
「잘 가시오다」
「잘 잇수다」
「안이 이재 오네—」
「……」

八. 一二 咸鏡線 旅路에서

心紋[52]

바람에 불리워서 바람에 불리워서
아모런 나무가지에라도 안저 보앗스면 좃켓다。
茶褐色나무 叉点에 안저서
비마즌 가마귀갓치 떨지라도
落葉만 지지 말엇스면 좃켓다。
그러면 나는 이 季節의 胜利를 되는대로 宣傳하며
입이 아푸도록 휘파람이라도 불겟다。
그러나 그때 나는 胜利한 騎士의 誇張한
心理가 안니여도 좃타。
無知한 物體라도 좃타。
光明이 멀어지면 그저 검은 存在요
光明이 밀녀들면 스산하게 을쓰녕한 動物이라도 무관하다。
나는 그것으로 滿足하리라
沈黙하고 意識的으로 늘거온 靈의 化身이기에
바람이 불면 불니워 갈 것 가튼 四肢를 가젓지만
햇빗만 내려쪼이면 싹 쪼그라들 것 갓튼 얼골에 주름쌀이지만

---

52 이 시는 1940년 10월 29일 『만선일보』에 게재되었었다.

그러나 岩石 갓튼 運命에 살어왓길내
오늘은 北西風이 불어서 눈보라처도
來日은 東南風이 불어서 花草가 滿發한대도
나는 놀래지 안흐리라。
놀래지 안흐리라。

-七、九、於京城

彷徨

언제부터 자랏느뇨。
그 널분 하늘 그 말근 바람에

가지와。
시루에트。

맘대로 자라 맘대로 버더서
맘대로 열린

두셋 닙새가 종사릴 매달고
애달비 떠는 가지에
안테나라도 걸어다오。
아무나 말이라도 올려를 오게。

바람이 지내가면
한사코 울기만 하는 가지 사히로
새파—란 하늘이 쪼각쪼각 부서젓다。
　　- 八、二 長白에서

滿洲에서(獻詩)

가슴은 샛발간 장미로 얼켜
닙히 질가 두려워 대견히도 간직합니다

언덕은 숨고
짜작나무 바람잔 벌판
떠난대서 손수건 흔드는 당신들이어
고향도 집도 모두 버리엇습니다。

언제든지 고웁고 아름다운
장미꼿 송이를 안고
먼—동산으로
시들지 안는 세월을 차저왓습니다
당신들이 항용 조와하고
그리워 하시든……
一九、二

김조규(金朝奎) 편

P 少年의 一代記[53]

墓碑銘의 一節
「女人의 恥毛가 날리우는 날 少年은 다시 復活한다」

버러지들은 無目이엿다 窓 박에서 밤ㅅ비 코쓰모쓰의 孤獨을 울리는 밤은 無數한 産卵의 期間이엿다, 石榴와 갓튼 少年의 微笑에서 女人은 試驗管의 透明体를 感覺하엿고 밤마다 로-마 廢墟의 風化한 記憶을 슬퍼하는 少年은 가마귀의 豫告를 귀 아프게 들은 아침 轉地의 勸告를 밧덧다。
그날 밤 女人은 送別의 食卓을 저즌 手巾과 造花도 裝飾하엿다。

네의 그늘에 빼든 허이연 山脈이다。
네의 會話는 아직 室內에 結晶된 채 잇다。

少年의 懊惱는 海藻와 女人의 誘惑이엿다、氷雨가 車窓을 두드리든 黃昏少年은 少年이 안히엿고 車窓은 쎄너토리움의 移動式 額椽 움지기는 湖水와

53 「P 少年의 一代記」는 『詩學』 제4집(1939. 3)에 게재되었었지만 『만주시인집』에 게재할 때는 일부 시구를 수정했다.

電柱와 樹林은 서글픈 風景 속으로 잠기고 나타나고 季節의 挽饌 속에서 少年의 哲學은 腦床으로 허무러지고……허무러지고……

花壺와 林檎의 論理엇다.
쥐생기의 搖籃인 女人의 불근 寢室.

少年이 生理에 返逆하여 雙頭馬車에 실리워 黑猫의 辭典을 차즈러 언덕을 넘을 때 少年은 가마귀떼의 華麗한 分列을 보앗다. 遮断되는 會話와 通流히는 感情. 도마도와 갓튼 불근 피덩이를 吐하면서 운명할 때 少年의 瞳子에는 馬. 馬. 雙頭의 말이 畵像되어 이섯고 時計塔 넘어로는 허이연 한울이 문허지고……뷔풀고……馬夫는 稍然이 안저 瞑目한 채 疏林의 記憶을 부르고 잇섯다.

地下室의 饗宴은 로-마市長의 應接인가?
市民이어 언제 점잔은 殺戮을 終末하겟느뇨?

少年의 遺稿 日記의 一節
「悔恨의 倫理는 必要업다。나는 나의 房과 나의 壁과 나의 空氣가 무섭다
내가 잇지 못하는 것은 花瓣의 빗갈과 林檎의 味覺뿐이다」

少年의 喪輿는 늣가을 찬바람에 餞送되어 黃昏 속에 잠기엇고 少年의 무덤 압헤는 女人의 恥毛로 包裝한 林檎 한알를 고이 노앗다。女人은 꼿 한 포기 고이지 안헛고 뭇 俗物들의 무덤과 무덤 새에 홀로 하이얀 墓碑만이 지터가는 黃昏

黃昏을 지키고 잇섯다。

「高邁한 精神少年 P의 殉死之地」

胡弓

胡弓
어두운 늬의 들 窓과 함께 영 슬프다。
山 하나 없다 둘어 보아야 기인 地平線
슬픈 葬列처럼 黃昏이 흐느낀다。
저녁이 되도 눈을 못 뜨는 이 마을의 들窓과
胡弓의 줄만 골으는 瞑目한 이 마을의 思想과

胡弓
아픈 傳說의 마디마디 哀然한 曲調
기집애야 웨 燈盞을 고일 줄 몰르느뇨?
늬노래 듯고 어둠이 점점 걸어오는데 오호 胡弓
어두운 들窓을 그리는 記憶보다도
저녁이면 燈불을 밧드는 風俗을 배워야 한다。
-어머니의 자장 노래란다。
-일어버린 南方에의 鄕愁란다。
밤새 늣길려느뇨? 胡弓
(저기 山으로 가거라 바다로 나려라 黃河로 흘너라)
어두운 늬의 들窓과 함끼 영 슬프다。

庚辰 三月

室內[54]

파아란 煙環 속엔 天使가 산다
天使는 憂愁를 宿命 진엇다

오늘밤도 말업시
나의 室內로 天使를 조용이 불너들이다

天井으로 올으는 煙氣는 외로운 憂愁의 舞라 한다
회오리 落葉도 안인 휘파람도 안인
天井과 벗하는 쓸쓸한 思想이라 한다

가슴을 쿡 쑤신다 오란다 卓上時計
손을 드니 오오 열 손가락이 透明코나

고양이도 안 산다 花盆도 업다
울지도 안흘련다 외롭지도 안흘련다

---

54 『만선일보』(1942.2.14)에 게재되었던 작품이다.

室內

우리 슬픈 天使는 숨소리 하나 업는 房 속만이 좃탄다

庚辰 十一月

함형수(咸亨洙) 편

나의 神은[55]

멀—니 暗黑 속을 뚤코 오는 히미하나마 확실한 光線과 갓치
아모리 衰弱한 肉体의 아모리 敗北한 精神에게도
또 하나의 門을 가르치는
나의 神은 그런 慈悲의 神이리라

永遠使役에 떠러진 捕虜囚와도 갓치
불타는 情熱과 굿세인 意志와 良心과 熱誠과
最後의 犧牲까지를 바처서 섬길지라도
오히려 우리를 疑心하고 채찍질하는
나의 神은 그런 嚴格한 神이리라

地上에 사는 온갖 것의 享樂과
地上에 사는 온갖 것의 자랑과
地上에 사는 온갖 것의 價値와

55 『만선일보』(1940.9.21)에 게재되었던 작품이다.

地上에 잇는 地上에 잇는 온갓 모—든 것을 가지고도 바꿀 수 업는
나의 神은 그런 高貴한 신이리라

해(日)와 달(月)과 별(星)과
動物의 系列과
植物의 種類와
人類의 歷史와 이 모—든 것을
單 한번의 憤怒로써 재(灰)가 되게 할 수 잇는
나의 神은 그런 恐怖의 神이리라

歸國

그들은 뭇는다 내가 갓섯던 곳을
무엇슬 하엿고 무엇을 어덧는가를
그러나 내 무엇이라 대답할꼬
누가 알랴 여기 돌아온 것은 한 개 덧업는 그림자뿐이니

먼-하늘 끗테서
총과 칼의 수풀을 헤염처
이 손과 이 다리로 모—든 무리를 뭇찔럿스나
그것은 참으로 또 하나의 肉体엿도다
나는 거기서 새로운 言語를 배웟고 새로운 行動을 배웟고
새로운 나라(國)와 새로운 世界와 새로운 肉体와를 어덧나니
여기 도라온 것은 實로 그의 그림자뿐이로다

나는 하나의 손바닥 우에

나는 하나의 피투성이된 손바닥 밋테 숨은 天使를 보앗다
時間의 魔術이여 物質이여 몬지 갓튼 感傷이여
天使가 깨여나면 찟어진 空間을 내음새가 돈다

아름다운 皮膚의 湖水여 노래의 忘却者여 깨라
眞理의 빗(光)치여 어두운 寢床이여 돌(石)이여 눈물이여
나는 하나의 피투성이 된 손바닥 위에 異常스러운 天使를 보앗다。

悲哀

나는 이 괴로운 地上에서
살기만은 조곰도 希望치는 안는다
어떠한 달가운 幸福과 快樂이
나를 부뜰고 노치 안는다 해도

그러나 나는 저 아득한 한늘을 치어다 볼 때
마음은 슬퍼지고 외로움으로 눈물이 작고 난다
저 나라에서도 나는 또 여기서처럼 이러케 孤獨할까 바

장기선(張起善) 편

새날의 祈愿

날샘 알외는 처마 끗 새 노래
地軸은 또 한번 맴돌아
다른 삼 始作되다。

온갓 모를 일 실고 오는 生
어제날 더듬어 오날에
길은 뵈는 듯 또 그대로 히미해。

바야흐로 막게 새는 날
늘어가는 거리의 騷音
이날 이 땅의 霸王들도
苦痛은 덜고 깃쁨 더 하게 하소서。

純潔한 目的 구든 발거름
마튼 바 적은 일 忠誠케 하소서
世上은 반다시 아름다워지리다。

正義가 우슴 웃고
自由가 나래 펴는 새누리에
참된 平和 샘인 양 솟으리다。

漆夜에 불빗 思慕하듯
誠實하고 바른 길 思慕케 하소서
깨끗한 空氣 呼吸하며
健全한 生의 塔 싸케 하소서。

아츰

지난밤 가진 시름 잠으로서 막게 하고
이 아츰 비인 가슴 대기 흠뻑 마시오니
새 힘이 다시 솟는 듯 살듯살듯 하여라。

실버들 하늘하늘 장미마저 담복폇네
하늘 끗 찌를 듯이 죽죽 뻣고 자란 나무
맘 깁히 내 사랑함을 마달 누가 잇스랴。

한창공 솟은 해빗 이 왼뉘를 고루 비춰
오로지 한갈갓치 깃버서로 살란 뜻을
다시금 생각하옵고 몸에 겨워 합니다。

우울과 어두움이 인간 살믈 싸고 묵되
말근 날 발근 해를 이 마음에 안으올 젠
굴인 듯 아득턴 길도 환이 뵈어 집내다。

구름[56]

뫼인 양 노피 솟다 또 갈인 듯 흘러나려
한종일 하날가에 은즈믄즛 짓고 허니
즛잇고 아니 변함은 통 업는가 하노라。

솜인 듯 피어나서 이슬인 양 스며드며
뵈는 듯 안 뵈는 듯 흘러떠서 쏘대어도
그울엔 경계 업스니 막을 아모 업노라。

칠—로 갑은 구름 벅찬 우름 아니우며
백합화 송이구름 말근 우슴 말 아닌가。
고요해 말 안는다 해 그 넉 업다 하리오。

---

56 이 시는 1941년 11월 5일에 발행한 『만주조선문예선』(신영철 편, 조선문예사)에 게재되었던 작품이다.

꿈

冥府에 가서서도 님은 날 생각는 듯
묵진 시름 안고 외로히 눈 감으니
아해야 내 여기 잇노라 어머님이 뵈시다。

고요히 들리신 음성예런 듯 막사옵고
우슴 띈 그 얼골 平和로히 빗나옴은
아마도 님의 仁慈하신 마음 한 복지에 쉬옴이리

뵙고 또 뵙고저어 뵈온 때 그갓사옴
싸히고 싸힌 말이 마음 안예 맴돌면서
어머니 큰 한 노래뿐 님이 벌서 안게서를

들리뭇 그 음성 어느덧에 사라지고
뵐 듯한 그 모습 어이해 안 뵈이요
야속타 꿈이야 짭다 하것만 애답게도 짤브이

채정린(蔡禎麟) 편

벌

가마귀는 매양 뒷골을 쫓는다는 가시꽃밧튼
괴괴하야 전설은
내 가슴의 열븐 문을 두달이고

갑뿐 호흡이다
별은 아무도 업는 꿈이기에
나는 목화를 꺽는 허어연 그림을 품다。

북으로 간다

내 눈알에 이야기 돛아 탐나게 기리하고
허이연 나븨 멀리 풀고 나려안즌 등불 밋길로 북으로 간다.
버들꽃이 바람을 부는 두메날에서

모오든 것이 내 움직이는 모오든 것이
바로 눈으로 한갓 돌아가든 여러 것이
머리칼 우에 펴진 하눌만을 미더 따라간다.

고개 마루 넘어로는 강 두만강이 오라다
불근 산에 얏튼 한나절 피마른 열매를 뭇고 북으로 간다.
뒤에는 다시 펴볼 꿈 한 포기 업시 차다.

몰너간 구름 속
오즉 물러간 구름 속은 문이 업고
북으로 가슴 압헤 불꽃이 핀다.

밤

나도 그림자도 말업는 돌인 양 안저
긴긴 밤 불근 입술을 버려 서로 꼿술을 따르는 밤

멀리 때아닌 꿈문이 열여
인제 괴이한 전설이 튀어날 따름

호개는 널분 벌에 오—랜 밤을 울고

나도 내가 끗업시 낫선 곳에
어디서 흉한 우슴이 히히 우숨인가。

작고만 마음은 풀은 불을 물고 흐르는 손바닥 우에
허이연 이마는 별처럼 추웁다。

천청송(千靑松) 편

先驅民

1. 移住民

다투어 뫼뿌리가 솟은 뫼
힌 구름은 둥둥 嶺을 넘다。

太古然한 숩헨
傳說이 측넝쿨처럼 얼키고

무지개 뻣친다는 샘엔
암노루가 물마시 단이엇단다。

나귀탄 族屬잇서
오랑캐嶺을 넘어오든 날
아름드리 나무는 찍히고
키 넘는 쑥밧텐 불길이 펄펄 놉하섯느니라。

2. 酒幕

죄꼬만 오양이 달여

산모롱을 도는 酒幕은

南山이 三月에도
이마에 힌 눈을 이고 사는 곳

흘러오는 손들은
으레 주막을 이웃집 들느듯 햇고

三太星이 자리를 드틸제면
낫선 땅 첫 꿈이 서글푸기에

닭이 홰를 처도 날이 새어도
흑탕갓치 취할 胡酒가 되게 그리웟겟다。

3. 雪夜

저릅대 겨등은
옛말갓치 조으는데
한웃방 클아바이는
옥쉬 속갱이로 등을 글그시며
대통만 문턱에 터신다。

무섭디 무서운 범 얘기에
큰아매 무릅엔 장손인 취해 코 골고

닭이 두 홰를 첫건만
짭짜리 지러간 아배는 안 와
제미랑 곱새등 누님은 삼만 삼는다

작연에도 그럭게도 이번 날 밤
호우적이 마을에 들어 섯드라오。

4. 江東

江東은 아라사
코 큰 색씨가 춤 잘 춘다는 곳

煙秋 놉흔 고개에는
천지꽃이 북디 북건만

七年이 다 되어도
郞君님은 웨 안오시나!

금음 밤이면
달이나 발거도 한결 나흐련만
그리는 맘
동녁 하늘 흰구름 타다。

5. 墓地

靜穩의 집

무덤은 너무나 寂廖하다

하도 故鄕을 그렷기
넉시나마 南쪽을 向해ㅅ도다

외로운 밤엔
별빗치 慰撫의 손을 나린다는데

墓標 업는 무덤들이
옹기옹기 정답게 둘너안젓구나!

눈보라 사나웁든
매듭 만흔 歷史를 이얘기 하는 거냐。

古畵

由緖일흔 古畵
네 꿈이 정영 서글프냐.

차돌에 돗친
明朝의 民俗

人情은 다를망정
풍기는 情緖 香氣롭다.

累巨万年을 가도
오히려 玲瓏한 色彩

내 沈鬱한 房은
옛風情을 지니기 可當찬아 슬플가

박팔양(朴八陽) 편

季節의 幻想

아츰 저녁으로 다니는 나의 거리는
나에게 잇서 한 개의 그윽한 密林이외다
沈默하며 것는 나의 무거운 行進 속에서
나는 五色의 꿈과 무지개를 봅니다.

白雪이 大同广場 우에 瞑想을 발브며
世紀의 驚異 속을 나는 移動합니다
康德會館은 正히 中世紀의 육중한 城廓
海上「벨딩」은 陸地 우의 巨艦이외다.

「뻐스」는 궁둥이를 뒤흔드는 양도야지떼
牧者도 업시 툴툴거리며 몰려오고 가고
「닉게」는「스마—트」하게 洋裝한 아가씨
「오리지낼」香水 내음새가 물컥 몰려듭니다.

大陸의 太陽이 西便하눌 우에 眞紅이 될 때
나는 때로 超滿員「뻐스」속에 雜木처럼 佇立하야

이 나라 男女同胞의 體溫과 重量을 堪耐하기도 합니다
窓外에는 建物들이 龍宮처럼 어른거립니다。

季節을 타고 靑春이 逃亡간다는 것은
「센치맨탈리스트」가 아니라도 嘆息할 일이지요
어느 곳 壁畵에 褪色하니 한 丹靑이 잇스릿가만은
罪 업는 童心이 久遠의 靑春을 꿈꿈니다。

曠野를 航行하는 이 思索하는 雜木이
때로는 行者와 갓치 素朴한 바위를 求하고
때로는 奔放한 舞女처럼 多彩와 恍惚을 그리며
沈黙과 饒舌 속에 헛되히 季節을 送迎합니다。

사랑함

나는 나를 사랑하며
나의 안해와 자녀들을 사랑하며
나의 부모와 형제와 자매들을 사랑하며
나의 동리와 나의 고향을 사랑하며
거기 사는 어른들과 아이들을 사랑하며
나의 일본—조선과 만주를 사랑하며
동양과 서양과 나의 세계를 사랑하며。

그뿐이랴 이 모든 것을 길르시는
하누님을 공경하고 사랑하며
그분의 뜻으로 일우어지는 인류와 모든 생물
사자와 호랑이와 여호와 이리와 너구리와
소、말、개、닭、그 외의 모든 즘생들과
조고마한 새와 버러지들까지라도 사랑하며。

그뿐이랴 푸른 빗으로 자라나는 식물들과
산과 드을과 풀과 돌과 흙과 그 외에도
내 눈으로 보며 또 못 보는 모든 물건을

한업시 앗기고 사랑하면서 한 세상 살고 십다
그들이야 나를 돌아보든 말든 그까짓 일 상관 말고
내가 사랑 아니 할수 업는 그런—
한울갓치 바다갓치 크고 널분 마음으로 살고 십다。

- 康德 九年

『재만조선시인집』[57](在滿朝鮮詩人集) 편

57 『재만조선인시집』은 김조규가 편찬하고 서문을 썼으며 1942년 10월 10일 중국 연길 예문당(藝文堂)에서 발행했다. 이 시집에는 모두 13명의 시인들의 시 53수를 수록하였고 시인들의 차례를 가나다순으로 하였다.

김달진(金達鎭) 편

龍井

車窓 밖 豆滿江이 너무 빨러 섭섭했다
흐린 하늘 落葉이 날리는 늦가을 午後
馬車박퀴가 길을 내는 찔걱찔걱한 검은 진흙길
힌 조히쪽으로 네귀에 어찔러 발라놓은
창경 창경
알 수 없는 말소리가 귀ㅅ가로 지나가고
때묻은 검은 다부산즈자락이 나부끼고
어디서 호떡 굽는 냄새가 난다。

시악시요 아 異國의 젊은 시악시요
아장아장 걸어오는 쪼막발 시악시요
힌 粉이 고루 먹히지 않은 살찐 얼굴
당신은 저 넓은 들이 슬프지 않습니가
저 하늘바람이 슬프지 않습니가

黃昏 길거리로 허렁허렁 헤매이는 흰 옷자락 그림자는
서른 내 가슴에 허렁허렁 떠오르는 조상네의 그림자—。

나는 江南 제비 새끼처럼
새론 옛 故鄕을 찾어 왔거니。

난생 처음으로 馬車도 타 보았다。
胡弓 소리도 들어 보았다。
어디 가서 나 혼자라도 빼—酒 한 잔 마시고 싶고나。

뜰

잎다진 白楊 두어 株 있고
가끔 노마바람이 지나가고
밤이면 찬서리 눈처럼 나리는
가난한 작은 이 뜰에도
한나절 햇볕이 무르녹으면
햇볕 따라 참새들 날라와 놀면
百花 란만한 봄디원인 듯 눈부신다。
茶瓶 드리운 靑銅火爐ㅅ가인 듯 平和로웁다。

菊花

나적은 동무와 마주 앉아
人生을 論하다가
大氣焰을 吐하다가
문득 興이 식어저 입 다물고
憮然히 창경 밖을 내다 보았다。
花盆에 피어나는 찬 菊花 세 송이
夕陽을 받고 있다。

鄕愁

머리 맡에 귀뜨래미 울어 예고
어둔 창경 밖 머—ㄴ 하늘 끝으로
별 하나 떠러져 흘러간 밤。

찬 벼개 우에 여윈 가슴 어루만지며
흘러간 내 나이 되푸리해 오이어 보면
늦가을 靑昏 못물 속으로 가만히 떠오르는 흰 蓮꽃처럼 피어
나는 鄕愁가 슬프고나
鄕愁가 슬프고나。

—어름같이 차야할 나의 漂泊의 꿈이었거니。

이제 새삼 뉘우처 깨침이 않이기에
다시 反芻해 볼 슬픔도 없는 서글픔。
문득 알 수 없는 무었을 왼통 잃어버린 듯
어둠 속에 귀 기우려 心臟 소리 들어보다。

꼬아리 열매

어득한 추녀 그늘 작은 뜰 안에
빩아케 고이 익은 꼬아리 열매
情熱의 등불을 스스로 밝혀 놓았다。

아무 色도 없고 光도 없는
찬 저녁 하늘 알에기에
情熱의 등불을 스스로 밝혀 놓은 꼬아리 열매。

저 꼬아리 열매는
이 쓸쓸한 작은 뜰 안의 등불이 된다

김북원(金北原) 편

봄을 기다린다

바라다 보아야 끝없는 地平이 끝없는 地平이
하이얀 눈 속에 가로 누어 봄을 기다린다。
도로기 쥐여 매고 마음 가든이 벌판에 서면
눈부신 索漠이 視野에 서린다。
호졸하니 마을의 貌面가
그러나 덤직한 이야기가
마을의 斑史가
한 줄기 香煙 속에 풀린다.

꼬지깨의 草原이
高粱의 平原이 되고
高粱의 平原이
벼이삭의 바다가 되는 동안
내사 수염과 靑春을 바꾸었고
안해는 세 아이의 어머니가 되였다。

잔뼈가 굵어진 故鄕말이뇨

洛東江물을 에워 젖처럼 마시며
아배사 할배사 살엇드란들
그것이야 아스런 옛 이약이지。

오붓이 點點한 우중충한 집옹이
五色旗 揭揚臺 아레 마을이
봄을 기다린다。

看護婦

그는 素服에 살빛까지 흰 그는
손과 손에로 날으는 하이얀 나븨。

나븨는 明朗한 「써-비쓰」를 샘물처럼 쏘드나
나븨는 속 깊은 설음만 꿀처럼 마신다.

나의 가슴 속엔 어두운 샘이 흐른다

어쩌면 光明의 앞날을 가저옴직한
어쩌면 그냥 차웁게만 흘을 듯한 샘이!

처음 나븨를 幸福케 한 것은 사나이
다음 나븨를 건저 줄겄도 사나인 사나이라고
그래도 사나이가 미뻐서 사나인 나를 처다보는 나븨。

나븨의 編物。나븨는 늘 서름을 엮는다。
나븨는 늘 미뿜을 엮는다。
아아、나븨는 언제 기뿜을 엮나?

山

언제든 아람 가득한 덕 높은 어버이였다。
매마른 입술이 날리는 휘파람은 야위어도
장작불은 다정하였고 푸초맛은 變함이 없어
모두고 피우고 빨고 피우기에 靑春이 갔다。
푸른 수풀이 이야기로 무성하얐고 그윽하니
湖水와 꿈을 함께하는 머리 우에 해와 달이 속삭이였다。

旗

줄기 줄기 싱싱이도 드높은 끝에

퍼얼럭이는
퍼얼럭이는

이 아츰 나는 가슴 속에 푸른 다다를 지니었도다。

그 넓은 드을에

얼골이 그리운 얼골이라 웨 아니 반가웠으리
찬이보아 찬이보아 분명 안개라 이마 기우러진다。
감실감실 골 기어넘듯 다붓이 서리인 그것이
어허 아침의 사나히야 그대 뒤찜지고 섯느냐 웃으나 답지 않다
답지 않어 바래는 바래가 답지 않다。
속히 풀리거든 왕왕 울거나 허트러지건 허허 웃거나
우리는 허리가는 청연이라 玉流처럼 티끌을 몰라 숨결 크고 넓어
沼澤을 머ㅡㄹ리 비둘기 날으는 것을 하야 푸른 모자에 푸른 옷 맘조차
넋이조차 靑衣童子
골에 날어 溪谷에 고개 넘어 청하늘 훠ㅡㄹ훨 거 높은 가지에
거 넓은 드을에 리리크를 리리크를 불떤
오냐 로칼이 새로히 오냐 로칼이 새로워질 것을-。

김조규(金朝奎) 편

延吉驛 가는 길[58]

벌판 우에는
갈잎도 없다 高粱도 없다 아무도 없다。

鍾樓 넘어로 한울이 뭉어저
黃昏은 싸늘하단다。
바람이 외롭단다。
머얼리 停車場에선 汽笛이 울었는데 나는 어데로 가야하노!

호오 車는 떠났어도 좋으니
驛馬車야 나를 停車場으로 실어다다고
바람이 유달리 찬 이 저녁
머언 포풀라길을 馬車 우에 홀로。

나는 외롭지 않으련다。

---

58 이 시는『朝光』제63호(1941.1.)에 게재되었던 작품이다.

조곰도 외롭지 않으어다。

(庚辰 十一月)

胡弓

胡弓

어두운 늬의 들窓과 함께 영 슬프다 山 하나 없다 둘러 보아야 기인 地平線 슬픈 葬列처럼 黃昏이 흐느낀다.

저녁이 되여도 눈을 못 뜨는 이 마을의 들窓과

胡弓의 줄만 골으는 瞑目한 이 마을의 思想과 胡弓

아픈 傳說의 마디마디 볼상한 曲調

기집애야 웨 燈盞을 고일 줄 몰으느뇨?

늬 노래 듯고 어둠이 점점 걸어오는데 오호

胡弓 어두운 들窓을 그리는 記憶보다도

저녁이면 燈불을 받드는 風俗을 배워야 한다.

어머니의 자장 노래란다

일어버린 南方에의 鄕愁란다

밤새 늣길려느뇨? 胡弓

(저기 山으로 가거라 바다로 黃河로 나려라)

어두운 늬의 들窓과 함께 영 슬프다.

밤의 倫理[59]

술을 불으고 돌아오는 밤은
노샤 히틀러-의 時間도 가진다.

와—샤 검은 薔薇 송이를 뿌려라
꽃다발과 노래와 춤외 饗宴 充血된 나의 慾望은 疲困을 잊을 수도 있다。
밤 한울이 너무 푸르고 맑어서
슬픈 마음이기에
웃을 줄 안단다

그러기에 나는 오늘 밤을 幸福할련다。
華麗란 밤의 倫理로 잠시 幸福한련다。

59 『만선일보』(1942.2.19)에 게재되었던 작품이다.

葬列

原始的인 風樂 소리가 흘러가고 素服한 女人이 늣기며 지나가고
갓가운 記憶도 머얼리 黃昏처럼 떠올으고
枯木과 驢馬와 말과 造花의 挽饌 기인 行列이 흐느길 때
나는 나의 位置를 슬퍼하고 있었다。

南風

앵글로 색손의 太陽이 바다의 階段을 나린다.
露臺 우에는 비인 木椅子가 기울고
午前의 設計 앞에 끌어올으는 바다의 情熱
풀은 湖水 우에 靑燕이 날고 날고
오늘도 南海에서는 컴패스를 들리며
피의 弧線 바다의 幾何學은 壯烈하거니
이제 삘딩 같은 無表情을 버려야 한다.
풀은 한울 아래 한 마디 白鷗여도 좋다
三月
氾濫하는 南風 속에 가슴을 벗고
深呼吸을 하자。

남승경(南勝景) 편

北滿素描

바람은 바람을 안고 지랄을 치고
눈은 눈을 안고 몸부림 친다
한울과 땅이 分別없이 얼어붙은 날
한 떨기 芭蕉는 南國이 그리워 밤새 운다。

零下 三十六度九分!
썰매의 방울소리마저 바람에게 捕虜된 날
페치카 우에 놓인 둥그런 팡 한 개
누구배를 불려서 곳노래를 드르려는고。

懸悲러운 北國의 女神이시여
푸른 한울과 맑은 大地를 내여노소서
醉하지 안는 高粱酒[60] 씨원치 않은 스피어
차디찬 마음 마음 속에는
언제나 봄이 옵니다

---

60 고량주(高粱酒)는 중국에서 수수를 원료로 하여 빚은 알콜 농도가 높은 소주를 가리킨다.

井蛙

太古적 聖母를 등에 업은 井蛙가
世紀의 天地를 품에 그러안고
設計 없는 清酒를 마시며 砂漠을 기여간다。

砂煙이는 어느 地方 青鞜派 喪家 앞에서
空腹을 참다 못해 朝飯을 求乞하는
파리마냥 傳統 잃은 우물 개고리……

地平線에 뵈지 않는 무딘 千里眼
깨여진 頭蓋骨 구부러진 脊椎
이제는 駱駝도 못 타는 한낱 물버레。

그의 情든 故鄕은 언제나 우물 속
每日 구름뭉치를 하나 둘 헤여보다가
水葬이 되고 마는 우물 개고리여。

奇童

無數한 海人들이 街頭에서 海棠花를 머리에 꽂고 바다의 古代風을 說明한다。

大門을 박차고 뛰여나온 數많은 奇童들이 가슴에 金牌를 부처주면서
「詭辯은 그만 두어라 吉辰에 寄港하면 바다의 現代風을 講義해 달라」

馬車 타고 宮闕을 막나슨 王女가
이 나라에 易學者가 몇 사람이나 되느냐 奇童들을 불러 세우고 무르니
「沙漠으로 가서 캬라반의 寓話를 들으십시요」

胡桃를 까먹으면서
火山口로 올나가는 奇童 奇童들
草原에서 풀을 뜻는 소를 보고
「너도 차라리 麒麟이나 되렴으나」

街頭市民들은 街頭市民들은
火山葬이 된 奇童 奇童들을 發見하고
泰山 같은 悲哀를 먹음고 火山口로 뛰여 들어갔습니다。

海賊

甲板에서 들여오는
海賊의 세레나―드에 興겨워
船室에서 水夫들이 雅宴을 베푼다。

海賊들은
海峽에 날르는 怪鳥의 우름소리를 凝視하며
바다 繪畵의 流動詩를 읽는다。

불상하신 水夫님들이여
合掌하고 한우님께 同情을 求해주는 海賊 海賊들

船長은 希臘神話 放送을 듯고 있다가
옛 懷恨에 醉하야 寢室에 가로 누었다。

海賊들이
船長과 水夫들을 監禁하고 機關室을 占領했을 때
渴色猾智를 먹음은 그들은
「暴風이 인다 運轉을 操心하야 S·O·S」
제各各 소리를 높여 快辯을 부르지젔다。

이수형(李琇馨) 편

人間 나르시스

지난날 어느 海商들의 飾窓에 피어난
일곱 개의 記憶의 微笑에
일곱 개의 붉은 손들이
허연 바퀴를 둘러짜고
노래와 춤과 술과 사랑으로
머—ㄴ 가슴을 發動시켰으나
수없는 酸化鐵의 憂鬱과 沉默이
유리실에 엉클리어 가는 黃昏
흘러지는 그늘에 파묻히여 버리고
五月의 陳列窓은
슬픈 風俗들의 실크마스크라오。

그 오랜 歷史의 마음을 排泄하는 鑛物들의 化粧에
새빨간 손벽을 내들고
빩아케
빩아케
불(火)사른

野花

소고기와 도야지고기와

들과 함께

임금의 즐거우신 進宴

純白한 접시에 가로놓였오

임금의 花粧은

퍼구나 어굴할 記憶의 앨범이라소。

머―ㄴ 湖水

奈落의 개흙에 앙벌이인

少年의 肖像畫는

호을어미 그리워 울고 우는 당나귀 哀歌와 數千年 數万年 낡은

소리로 울고 우는 뻐꾸기 피어오르는 아―ㅇ 가슴을

여덟 개의 찬란한 웃음으로 흔들었으나

누른 나래 퍼―런 나래 뿌―ㄹ근 나래 검은 나래

허―연 나래

날 개

  날 개

    날 개

날러가고 날러온

水仙花의 손바닥은

두터운 大理石의 무지개를 거더안고

宿命한 風俗의 秘密을
行進하오
　進行하오
　　進行하오

안개의 風景을
안개 안개 안개 안개가 흘으고
흙빛을 타고 七面鳥의 아침이 흘으오
참말 날개 돛인 마스크는 너무나 그리운 恐怖라오。

娼婦의 命令的 海洋圖[61]

一萬系列의 齒科時代는 밤이 海洋에서 섬의 하─모니카를 분다

一萬系列의 化粧術時代는 空港의 層階에서 붉은 츄─립푸의 저녀글 심포니한다.

記念日 記念日의 츄─립푸는 送葬曲에 핀 紙花였다

明日의 손가락을 算術하는 츄─립푸는 먼 푸디스코 앞에

떠올으는 떠올으는 비누방울의 夜會服 記念日 記念日의 幸福을

約束한 肉體의 女人이 雙頭의 假面을 장식하는 날

記念日 記念日의 너의 장식에

너의 그 洋초와 같은 蒼白한 얼골에 너의 그 바다와 같은 神話를 들려주는 눈동자에

나의 椅子는 溺流되였다

나의 椅子는 溺流되였다

그러나 娼婦는 울고만 있다

肉體의 女人은 장식의 歷史가 슬펐다

假面의 女史는 살아있는 것이 슬펐다

雙頭의 怪物은 왜 울었을까?

---

61 이 시는 『만선일보』(1940.8.27)에 처음 발표되었다.

明日을 또 장식하여야 할 運命을

明日도 그 다음날도 그 다음날도 살아야 할 것을

女人아 假面아 深夜이 어린애야

現實에 規約된 誠實보담도 阿片보담도 술보담도 맘의 秘密보담도

이 健康術을 사랑한다。

未明의 노래

오—

骸骨엔 사보뎅 뿔—근 꽃 피여나는 밤

오—

墓穴엔 蛆虫의 凱歌가 들리는 밤

꽃 피고 노래가 들리고 꽃 피고 노래가 들리고

밤이 가고 밤이 오고

밤이 가고 밤이 오는 밤

오—

黑板엔 蒼白한 空間이 되여 날으고.

피여나는 空間엔 太陽처럼 親한 죄꼬만 죄꼬만 胡蝶의 무리무리 날으고

거미줄 같은 地上엔 太陽을 쪼이든 數많은 慾望과 暗憺한 愛慾이

아름다운 時間 우으로 昆虫처럼 사라지고

波紋처럼 사라지고。

亡靈이 되고 亡靈이 되고。

오—

骸骨엔 사보뎅 하이얀 꽃 피여나는 밤

꽃 피고 노래가 들리고

꽃은 永遠을 꽃은 永遠을

凱歌는 忘却의 地圖에서 異邦女의 노래처럼 들리고。

오—

꽃은 骸骨에 피여가고 피여나리라

忘却의 地圖에서 노래는 들리리라。

이학성(李鶴城)[62] 편

나의 노래

거울 속에
시드는 靑春이 옛 한울을 안어본다。

나의 봄이 고개를 넘으니
世紀의 化石 우에 自畵像이 슬프고나。

나의 心臟에 간직한 大河는
太陽을 안고 九曲을 흐르나니、

오늘도 내 心琴의 七絃을 고너본다、
꽃 지고 달 떠도 한 曲調 永遠히 흘으는 人生의 노래—。

62 이학성(李鶴城)은 이욱(李旭)을 가리킨다.

躑躅花

봄은 파일 고개도 넘어
탐탁한 躑躅꽃이
하염없이 지길래
시드는 꽃송이에
내 진정한 이야기를 부치오。

꽃보라 속에
나비가 놀라오、
나도 늙소、
그래도 내 마음 薔薇에는
푸른 꿈이 깃드러 슬프지 않소

오! 傳說의 나라 躑躅아
이제 盛裝을 버린 너는
여름철에
百合꽃을 부워할테냐?
가을철에
山菊花도 부워할테냐?

—아니오

—아니오

그렇길래

나는 너의 짧은 靑春을 사랑했다。

나는 너의 타는 情熱을 사랑했다。

五月

五月은

초록 물결이 넘치는 한낮 牧場을 꾸몄다。

들薔薇도 香氣 품은 넓은 둔덕 위

염소 등에 휘파람이 구운다。

연분홍빛 구름도 뭉기뭉기 피는데

종다리 그린 譜表를 쳐다보며

풀잎 피리라도 불리라。

이 法悅—

이 멜로듸—

우리는 豊饒한 自然을 呼吸하는 太陽의 아들、

五月의 푸른 한울을 風俗하고。

五月의 푸른 大地를 習性한다。

落葉

落葉은

내 넋을 울리고

荒漠한 꿈의 搖籃에 고이 잠든다。

乳房처럼 부푸러오른 마디마디에 붉게 맺힌

—生命이여

—盟誓여

拍子 拍子 拍子 ……

時空을 타고 明滅하는 神秘한 자최!

오히려 不死鳥의 生理가 에궂다

—죽음 아닌 죽음의 힘

—삶 아닌 삶의 힘!

오! 그 壯行하는 그림자의 点과 点이여!

나도 먼 후ㅅ날 넋을 놓아

하늘에 날리고

바다에 띄우면
또한 悠悠히 永劫의 줄을 타고
좋은 時節 도라오는 길에는
―별을 따고
―眞珠도 캐려니。

별

나는
밤이면
蒼空을 우루러
별을 보는 習性을 갖었다。
별은
情답고
寂廖하고
幽遠하여
밤 한울은 古鄕 같기도 하다。
별은
함박꽃처럼 피여나는 호젓한 이 밤에
萬年夢에 파묻혀서
恍惚한 神話를 속삭이느니
이제 별은
나의 가슴 속 적은 湖水에도
푸른 鄕愁를 물고 내려 고이 잠 든다
고이 잠 든다。

이호남(李豪男) 편

신장노

신장노는 발도듬 해
봐도 봐도 끝은 않뵈고

신장노는 전보줄이
작구작구 딸어만 갔네。

아기와 코스모스

해 뜨는 아침이였읍니다
막 일어난 아기는 문턱에서 오줌을 쏴—하고 냅다 갈기노라니
담 밑에 코스모스가 아기를 불으겠지요
「아기야 — 」
「으—ㅇ 코스모스냐 」
그제야 아기는 아빠 구두를 질질 끄을며 코스모스 곁으로 갔읍니다
「아기야 밤새 잘 잣니?」
「그래 엄마 품에 꼭 끼여 잘 자고 말구! 」
「간밤 엇지나 추운지 한잠도 못 잣단다! 」
코스모스의 애처로운 목소리입니다
아기는 코스모스를 어루만저 보았읍니다
가엽게도 꽃송이에 찬 이슬이 방울방울 담겨 있겠지요
「오— 코스모스야 혼자 몹시 떨었겠구나! 」하며 아기는 조심히
이슬을 털어 주었읍니다
「코스모스야 참 내가 잘못 하였구나응」
「그래두 너를 내버려둔 내가 잘못이지—」
「아이 별소리 다 한다 」
「네가 그러케 사랑해주니 혼자서 떨든 어제밤 일도 금시에 이저진다」

「네 맘씨는 솜 보다도 더 부드럽구나」

「코스모스야 이제붙어는 나하고 같이 살자 응」

아기는 비둘기 눈알처럼 새빩안 두 손가락으로 조심히 코스모스를

꺾어가지고 집으로 타박타박 들어왔읍니다

그리하야 꽃병 왜가리 잔등에다 꽂아서 책상 우에 아기 그림책과

같이 나란히 놓았읍니다

팽이와 팽이채

올에 일곱 살 먹은
삼돌이는 요사이 감기가 들어
어머니 곁에 누어 코—ㄹ 콜 알코 있읍니다。

머리맡 궤짝 우에 삼돌이 신든 꼬맹이 운동화도
흙 묻은 채 가즈런히 언지어 잠을 자고
벽에 걸린 수갑과 파랑모자도 몬지가 끼고 있읍니다。

삼돌이가 앓고 있는 가마목 약병 곁에
삼돌이 가지고 놀든 팽이와 팽이채도 나란히 누어 있읍니다。

삼돌이 앞에 앉은 어머니도
궤짝 우에 꼭맹이 운동화도
벽에 걸린 수갑과 파랑모자도
약병 곁에 팽이와 팽이채도
삼돌이 병이 빨리 낫기를 기다리고 있읍니다。

촌 정거장

산기슭 조고만 촌정거장은
수수밭 욱어진 속 외딴 집인데
여름밤이 깊도록 기둘러 봐도
손님은 없고
개고리 자장가에 졸고 있지요。

산기슭 조고만 촌정거장은
장명등이 겨—우 네 개뿐
여름밤이 새도록 기둘러 봐도
기차는 아니 오고
밤버레 불너놓고 동무하지요。

葡萄넝쿨

꽃 파는 집 포도 넝쿨
담정을 넘어 한울을 넘어

시원한 풀은 잎 너울너울
여름날 행길 우에 향기로운 그림자、

손님 없는 洋車夫
담정 아래
풀은 葡萄의 꿈이 깊다。

손소희(孫素熙) 편

밤車

오고가는 그림자 속에 히미한 輪廓이 박이여 움직이는 사람사람 물결 속에
喜悲의 交響樂이 演奏된다.

나그네의 疲困한 하품이 어렴풋이 꿈의 美酒를 마실 무렵
너는 외마디 高喊으로써 裁判長이 最後의 言渡를 나리듯
一切의 슬픔을 뒤두고 밝은 날의 役事를 실고 달어나는 幻燈幻燈이다.

來日 다시 오리라 期約한들 離別이란 못난 슬픔처럼 박힌 곳마다
아픈 자욱을 낸다.

풀은 어둠의 魅力
붉은 幻燈의 誘惑이여 나는 어린 동생의 눈물을 보지 않으리라.
가장 眞實한 瞬間에 지극히 적은 虛僞일망정 鄕愁는 感傷에 不外한 感情의 煽動者가 아니냐?

지렁이 같은 검은 怪物이 사러진 후
허전한 마음 허전한 불빛 아래 蒼白한 女人의 우슴마냥

視野에 켜진 幻灯은 꺼진 줄 몰은다。

鄕愁의 호젓한 그늘 밑 외로운 나그내의 獨白과도 같이—。

어둠 속에서[63]

먹칠한 듯이 식컴언 밤 석냥 좀 주어라고 불숙 내미는 손

그 검은 얼골에 힌 잇발이 河馬와 갈고

우슴어리 흉측한 눈쌀은 더없이 천하고 무서워

瞬間 千里길이나 되는 구렁에 빠인 듯한

깊은 골에서 키—ㄱ 키—ㄱ 하는 우슴소리와 할께 잔잔한 音聲이 들엿읍니다

별 하나 보이지 않는 蒼空을 向해

별빛의 우름을 엿듯는 눈물의 女人아

내가 怪物이면 너는 妖魔와 같다.

아닌 밤 어둠 속에서 네가 찾는 건 나 같은 무서운 現實일 테지!

내 像이 무섭다구 넌 보기두 前에 질겁을 하나 想像의 度를 넘은 眞實한 惡鬼일진대 幻滅이나마 消滅될테지!

虛無를 빙자하구 삶에 敬虔을 잃은 너는 一切의 無視를 容納하는

道化役者와 같고 時代의 步調에 勇敢치 못한 네 卑怯性은 罪惡과

絶望과 눈물을 파는 惡魔의 神이 天帝의 앞에서 善을 讚美함보다도 오히려 어색해

---

63 『만선일보』(1940.10.26)에 게재되었던 작품이다.

내가 惡으로 참되여 보임은 내겐 내 眞實이 있음이구、
나는 내 世界에서 두 활개를 벗고 惡鬼의 殘忍한 우슴을 마음끝 웃습니다

저 洋洋한 大海에 難波船인 양 自然에 運命의 全部를 맛겼다면
벌서 넌 한 개의 木片이고 하나의 鐵板인데
지금 臨終을 求할 것두 없어!

主여 이건 당신의 音聲입니가 그 무서운 魔像의 嘲弄입니가?
아모튼 中毒이 너무 甚하외다。
노래를 잊었구 우슴을 잃은 지 벌서 오랜데!

失題[64]

季節을 앗기는 귀뜨람의 우름과도 같이 나의 心琴을 뒤흔들어 주는
그의 노크는 가벼워—

그는 潤있는 신을 신었으리라 香氣론말로 아름다운 문이를 놓으며
누구의 緬紗布를 짜는 걸가?

하얀 유리컵에 감주가 줄줄줄 흘은다。
마시고 또 마시여 이 끝모를 밧줄을 낙글 때까지 취해 버릴가
눈 감고 새인 밤에 서리야 오거나 말거나—

한 줄의 글에 수많은 눈물이 밴다 우슴이 어린다。
蒼白한 마음문에 붉은 물을 디려보고 다시 먹무든 붓대로 죽죽 그 위를 검게 지워버린다。

주름 업는 눈물 拍子 업는 우슴 虛無와 眞實이 同素体라면 나는
이 矛盾을 펴보련만은。

---

64 『만선일보』(1940.11.28)에 게재되었던 작품이다.

아— 눈부시게 繡놓은 방석료-이여
劉備가 野心의 石橋 우에 서서 먼— 하늘에 浮雲을 잡었다 펴는데
牧童은 悠悠히 소잔등에서 코노래 부르며 바람과 우짖는다。

가벼운 노크소리 그는 神話를 말하듯 透明한 楊柳에 彩色문이를 놓으며 神秘를 짠다。

少女의 꿈꾸는 듯한 표정으로—
그러나 아무도 저 緬紗布를 쓸 新婦가 없스리니—。
(그것은 修女의 미사기에)

송철리(宋鐵利) 편

나의 노래가 담길

뫼추래기의 궁근 퉁소가락 따라
흥겨워 절로 열리는 산안개 들창。

들창 넘어로 화—ㄹ작 트인 한울에서
아즘이갑은 바다가 고요—히 흘러내려
가슴 속에 하나 가득 부어 놓은 푸른 항구。

인제 막 검은 배가 들어와
재ㅅ빛망또를 말끔 걷어실ㅅ고 떠나려하니
붉은 포도주 마지막 잔에 취한 손을 흔들어
머—ㄹ리 보내고
머—ㄹ리 보내고
내 오로지 휘파람과 벗하야
나의 노래가 담길 한곡조 보표나 짜보리。

나의 노래。
나의 노래。
내일이면 부를 나의 노래。

落鄕

적은 새의 푸른 피리ㅅ 소리에
목동의 넋으로
목동의 넋으로 감놀아드는 향그러운 아츰。

머—ㄹ리 힌 봇나무 숲 넘어
하늘은 시여—ㄴ한 여울을 짓는데
밝은 해가 둘ㄴ
두둥실 밝은 해가 둘ㄴ

그 하나는 가슴 속에 떠올나 가슴 속을 빛위니
이제 근심 걱정 모두 이슬에 담어지워 버리고
내 저— 황소다려 풀이나 뜯으리。
내 저— 황소다려 풀이나 뜯으리。

五月

새하—얀 비둘기 두어 마리
은빛 금을 그으며 미끄러지는 하늘 아래
마슬은 호졸곤—이 파—란 아츰에 저저 누었는데、
초록 물결 부서지는 포푸라가지에서는
채르렁 채르렁 가벼운 금방울 소리、
맑은 숨소리、
바람은 물고기부다도 젊어
나물보구니 노래 부르는 두던 위에
눈빛 고름끈을 춤 추이고、
문둘레꽃 밟으며 흘러가는 염소귀에다
가마—ㄴ 가만 옥색 휘파람을 호이 호이
이 모다 五月의 아름다움이어니、
그 곳 五月의 꼬임이어니、
나는 가고 십노라 어데던지
풀잎 피리라도 하나 사—ㄹ작 따물고
호돌대는 어린 사슴처럼。

유치환(柳致環) 편

生命의 書[65]

빠처빠처 亞細亞의 巨大한 地襞알타이의 氣脈이
드디어 나의 故鄕의 조고마한 고흔 丘陵에 다었음과 같이
내 오늘 나의 핏대 속에 脈脈히 줄기 흐른
저—未開쩍 種族의 鬱蒼한 性格을 깨닷노니
人語鳥 우는 原始林의 안개 깊은 雄渾한 아침을 헤치고
털 깊은 나의 祖上이 그 曠漠한 鬪爭의 生活을 草創한 以來 敗殘은 오직 罪惡이었도다-。

내 오늘 人智의 蓄積한 文明의 어지러운 康昧에 서건대
오히려 未開人의 矇衢와도 같은 勃勃한 生命의 몸부림이여
머리를 들어 우르르면 光明에 漂渺한 樹木 우엔 한 点 白雲!
내 절로 삶의 喜悅에 가만히 휘파람 불며
다음의 滿滿한 鬪志를 준비하여섰나니
행여 어느 때 悔恨 없는 나의 精悍한 피가

65 유치환 시집 『생명의 서』(행문사, 1947.6)에 재수록되었다.

그 옛날 果敢한 種族의 野性을 본받어서
屍體로 업드린 나의 尺土를 새밝앟게 물드릴지라도
아아 해바라기 같은 太陽이여
나의 좋은 怨讐와 大地 우에 더 한층 强烈히 빛날 지니라。

怒한 山

그 淪落이 거리를 지켜
먼 寒天에 山은 홀로이 돌아앉아 있었도다。
눈 뜨자 거리는 저자를 이루어
사람들은 다투어 貪婪하기에 餘念 없고。
내 일즉이
호올로 슬프기를 두러하지 않었나니
日暮에 하늘은 陰寒히 雪意를 품고
사람은 오히려 우르러 하늘을 憎惡하건만
아아 山이여 너는 높이 怒하여
그 寒天에 구디 접어주지 말고 있으라。

陰獸

神도 怒여워하시기를 그만 두셨나니
한낮에도 오히려 어두운 樹陰에 숨어
劫罪인 양 昏昏한 懶思의 思念을 먹는 者!
너 열두 번 일러도 열두 번 깻치려지 않고
드디어 마음 속 暗鬼에 벙어리 되여
하늘 푸르른 福音을 끗내 받어드리지 못하여
항시 보이쟎는 怨讐에게 쪼끼어 떨며 넉싀 치위 같은 골수에 사모치는
怨恨에 줄을 상하나니 하여 밤
萬象이 太古의 靜謐에 돌아가 쉬일 때
地獄의 惡靈 같은 주린 그림자를 끌고
因果인 양 피의 復讐를 헤이는
아아 너이 슬픈 陰獸。

조학래(趙鶴來) 편

流域

그 옛날에는

수많은 호우적들이 몰려와서

불상한 백성들만 애꿎이 못살게 굴었다는 이야기가 남었다。

(마을에는 불을 질러 놓고 糧食을 빼았어가고 妻子는 拉去하고 사나히 大丈夫는 죽여버리고—)

地圖를 펼치면

白頭山이 보이는 모퉁이 長白山系의 東쪽 邊地에

長白 藥水 半截溝 독골 빠두골 帽兒山—

谷間에 끼여서 일흠이 없고、

진대밭에 숨어서 일흠이 없는 邊地의 都邑

甚히 고요한 流域이여—。

하늘을 찌를 듯이 嶮한 山들은

山을 불러 높이높이 구름 속에 마조 앉어 언제나 神秘로운 對話가 끝날 줄 몰랐노라。

傳說과 詩와 風俗과 生活로 수놓고、

끊임없이 쉬임없이 指向없이 鴨綠江 푸른 물이 흘러서 흘렀노라。

햇님이 솟아 솟아 歲月이 흘러 흘러

天池물이 넘처넘처 鴨綠江이 흘러갈 제

商船도 올으나리고 떼목 내리고、

수많은 호우적의 그 現實도 이야기로 變해서 流域은 豊年頌이—

豊年頌이 들려 지었다。

거리로 가는 마음[66]

목아지에다 빩안 木메린스 旗ㅅ발을 달고
季節마다 化粧하는 삘딩의 거리로 간다。

칼피스 香그런 呼吸 속에
또 하나 다른 太陽이 떠오는 明朗한 明朗한 거리

微風이 흔들거리는 街路樹……아까샤
슲으지 않은 그림자 밑으로
보얀 샘물 줄기를 찾어서—

가다가 살다가 나는 금붕어가 되겠다
나는 眞珠가 되겠다
나는 珊瑚가 되겠다

마즈막엔 白鶴이 되여서
오래오래 살 수 있는 그런 白鶴이 되여서

---

66 1941년 3월 17일 『만선일보』에 게재되었었다.

또 하나 다른 太陽의 明朗한 빛 속으로 날개치면서 날러다니겠다、
날개치면서 오래오래 나러 다니겠다。

憧憬

光明을 못 보는 生命體의 실없는 푸념은 앓이란다。
헐벗고 굶어서 하는 싫은 소리는 더욱이 앓이란다。
하늘이 뚫어저도 닿지 못할 물결 속 같은 빛없는 곳—
꼬리를 치렁치렁 흔들거리면서
珊瑚林 속을 헤치고 흘러가는 海藻-야기 많은 친구들아
그런 곳 저런 곳 가리지 않고 海藻 같이 浪漫하고 싶다는 말이다。

港口는 너무도 距離가 멀어서 지루하여도 좋다
空氣는 한참 隱花가루 흐터지는 꽃보라 속에서
별이 뜨고 달이 흘으고—
물 개고리 우는 이슬진 歷史의 밤
차거운 寢台 우에 맺는 옛꿈이 좋다。

언제든지 感覺은 날싸지 않어도 좋다
반괴처럼 燐光이 서리지 않어도
얘기 많은 친구들아—
미상불 그대들은 어진 動物일테니
蘭草 피는 이 故鄕에서 永遠히 어진 動物이 되여도 좋다。

가을날 철늦인 코스모스 꽃송이는

薄命한 버얼―나븨를 그리웁게 불러드린다

그러나 그겄은 어질고 眞實함이기에 좋다。

眞實을 말하는 凋落은 춤들이기에

춤의 共鳴이기에

나는 끝없이 憧憬하노라―。

街燈

밤만 되면 열두 층게 층게를 올러와서

턱을 고이고 수없이 뿌려 있는 거리의 불을 바라본다。

밤마다 붙들은 까놓은 병아리 색기들처럼 조잘대였다。

조잘대는 불까에서는 빛빛이 달려가는 살림살이들이 시침을 뚝 따고 쉬여도 갔다。

그런데 이야기 같은 세상 모—든 사연들은 흐터지는 셈인지 몽여드는 셈인지 알 수 없다

골을 들면 천 번을 봐도 만 번을 봐도 거저 그런 한울이 널려 있을 뿐

내려다보면 검어 침침한 빛뿐으로 벌판 우에는 바람까지 잔 모양인데 위선 무수한 불빛들을이요

그 다음에는 사랑이요 춤이요 울음이요 싸흠질이요

하루사리와 모기떼와 빈대와 파리와 심지어 이슬 먹음은 뚝거비 노래까지

그 모—든 것들이 한시도 쉴새없이 들복는 팜이다

—내 하는데 네 못하겟니 네가 하는데 내 못하겟니 하면서 들석들석 하는 것처럼—。

달이 뜨는 밤이든지 달이 없는 밤이든지 비 오거나 눈이 오거나
조곰도 상관할 게 없이 병아리 같은 조잘대는 등불가에서 번잔을 피우면서
언제까지든지 거저 그 멋대로 요란스레 뒤법석할 것이 않인가—。
내가 잠을 자다가도 이쪽저쪽 도라누어 보는 것 같은 그런 욕심과
또는 그러지 않어서는 않될 본심으로—。

春詞

胡砂 흣날리는 千里平原 思春하는 都心!

葡萄빛 氣流 여울에

南國의 情操가 엑소틱한 波紋을 친다。

이 봄-

天使의 湖心 같이 맑은 마음씨는 白楊나무 가지마다 조으름깨다。

코발트빗 한울가에 季節의 體溫이 波動처 香氣로운 呼吸이 微風에 부서진다.

오—

이제는 후눅한 土香이 湖水 같이 넘치고 넘치는 湖水 구수한 土香 속에

젊은 密語가 나븨처럼 떠 돌려니、

이 봄—

퍼덕이는 脈搏이

池塘에 핀 蓮꽃잎 물고 잉어처럼 꼬리친다。

천청송(千青松) 편

드메

드메의 봄은 짧다。

내 살든 곳은
거울이 없어도 괜찬었다。

사슴 뿔 솟는 샘엔
입뿐 색씨 얼골 돋고。

뒷고개는
양춘 삼월에도 힌 눈을 이고 앉었겠기

내 鄕愁도
차거운데

이런 밤엔 으레 뻐꾸기가 울었다。

무덤

靜隱의 집
墓地는 寂寥하다。

故鄕이 하 그리워
넋이나마 南쪽을 向했도다。

오직 慰撫란
北斗七星이 빛여줄 뿐.

標的 없는 무덤들이
옹기종기 정갑게 뫃여있다。

눈보라 사나웁든
매듭 많은 歷史를 이야기하는 거냐?

書堂

도랑 진너 글방은
낮이나 밤이나 글 읽는 소리。

돗보기 쓴 훈장
접장나린 회초릴 들었건만
百戶長 망내 아들은
열두 살이래도 생각만은 엉뚱해。

머리는 방아를 찌어도
눈ㅅ길만은 사이ㅅ문을 못 떠난다。

이런 날 밤엔 으레 마을 처녀들이
서당방 사잇문에 옥수수처럼 열린다。

함형수(咸亨洙) 편

家族[67]

고기와 꽃과 보리이삭과 그의 여러 가지 보배를

어머니는 깨여진 머리에 이고 거러오셨다。

인제 어머니는 눈을 가슴 속에다 박으셨다。

눈물이 기쁨에서 오는 눈물이 작고만 흐른다。

휘황한 電燈 밑에서 누이는 밤마다

붉은 알 푸른 알 힌 알 노—란 알을 굴리느라고 눈길이 異常하여졌다

오늘 누이는 大理石 돌층게에서

競走練習을 한다

돌층게 밑에 떠러저 있는

찢어진 찬송가와 때묻은 「항케치」

風車와 연과 팽이와 그리고 노래와 춤을

동생은 작고 만든다

동생의 사랑은 샤기—르와 그리고 나와

어머니와 누이와 이외에도 기수없다。

---

67 이 작품은 『만선일보』(1940.3.1)에 발표했던 작품이다.

동생은 해를 처다보고

웃는다 웃는다。

化石의 고개

이마에 손을 얹으면 풀은 한울에도 나타나는 고개가 있는 것이었읍니다。
여윈 無名指를 들어 蒼白한 標石을 생각합시다。
생각하여도 생각하여도 마음의 女子는 化石한 지 오래였읍니다。

개아미와 같이[68]

개아미들이 몬지길을 기어가는 것처럼
뜨거운 거리의 애스팔트 우에 사람은 넘처났으나
白紙의 한울에 太陽은 한 개의 붉은 쇳덩어리처럼 空然하다。
악착한 市場과
大學室의 試驗管에 어두운 밤은 찾어와
제各各의 內部에서 理論과 苦痛이 달렀다。
개꼬리와 쥐꼬리의 差異만치
一定한 法律과 一定한 流行은
一定한 生活에 象徵되고、
사람은 사람이오 憂鬱은 憂鬱에 不過한 것이냐?
나무 풀은 쓸데없이 자라고、
시럽시 아이들은 울고、
女子는 帽子를 男子는 신짝을 찾고、
두터운 傳統의 眼鏡 속으로 아버지는 조으럼오는
忠告를 느러놓을게나。

---

68 이 시작품은 『인문평론』 1940년 10월호에 발표했던 작품이다.

胡蝶夢

밤새도록 비에 젖는 어두운 空間이 있는 것이었읍니다。
부지럽시 슬은 밤은 얼마나 슲은 밤이겠읍니가
조용히 눈을 감으면 가슴 속에선 피묻은 한 마리의 胡蝶이 퍼덕이고
있는 것이었읍니다。

엮은이
소 개

장영미(张英美)

중국 연변대학교 조선어학과 교수, 중국한국(조선)어교육연구학회 상무이사를 역임하고 있다. 주요 관심분야는 중국에서의 한국어교육 연구와 한국 근현대문학과 중국 관련 연구이고 저서로는 『해방 전 재중조선인 시문학의 디아스포라 성향연구』(2012), 『문학사의 명명과 문학사관의 성찰』(역저, 2019) 등의 연구서가 있다. 논문으로는 「해방 전 재중조선인 시문학에 나타난 북쪽 이미지 연구」 등 20여 편이 있다.

김 강(金剛)

중국 연변대학교 조선언어문학학과 전임강사. 연변대학교 조선언어문학학부를 졸업하였고 동 대학원 석·박사 과정을 졸업했다. 다년간 한국 근현대문학 및 한중 비교문학에 대한 연구를 진행하고 있으며 연구논문으로는 「김안서의 격조시형론과 중서시학 관련연구」(2016) 등이 있다.

'한국근대문학과 중국' 자료총서 ❻
시 Ⅱ

초판 1쇄 인쇄 2021년 9월 17일
초판 1쇄 발행 2021년 9월 27일

지은이 김조규 외
엮은이 장영미·김 강
기 획 『한국근대문학과 중국' 자료총서』 편찬위원회
펴낸이 이대현
편 집 이태곤 문선희 권분옥 임애정 강윤경
디자인 안혜진 최선주 이경진
마케팅 박태훈 안현진
펴낸곳 도서출판 역락
주 소 서울시 서초구 동광로 46길 6-6 문창빌딩 2층
전 화 02-3409-2060(편집), 2058(마케팅)
팩 스 02-3409-2059
등 록 1999년 4월 19일 제303-2002-000014호
전자우편 youkrack@hanmail.net
홈페이지 www.youkrackbooks.com
字 數 156,024字

ISBN 979-11-6742-021-3 04810
979-11-6742-015-2 04810(전16권)

* 책값은 뒤표지에 있습니다.
* 파본은 구입처에서 교환해 드립니다.